Pi 1666

Hugo : 1826 19e siècle

1920 → 20e siècle

Arthur Koestler
Albert Camus

Réflexions sur la peine capitale

Introduction et étude
de Jean Bloch-Michel

Édition revue et augmentée

Gallimard

REMERCIEMENTS

Nous tenons à remercier particulièrement Marcelle Mahasela et Julia Morineau qui, à la bibliothèque Méjanes d'Aix-en-Provence, nous ont aidé pour nos recherches dans le fonds Albert Camus et sur Internet.

NOTE DE L'ÉDITEUR

Lorsque ces *Réflexions sur la peine capitale* sont parues en 1957, la guillotine fonctionnait encore en France, pour les crimes de droit commun, et plus souvent encore pour ceux liés à la guerre d'Algérie. Quand ce livre a été mis à jour pour la dernière fois, en 1979, presque vingt ans après la mort d'Albert Camus, la peine de mort était encore en vigueur en France. Elle y était appliquée cependant de plus en plus rarement et, dans son avant-propos, Jean Bloch-Michel pouvait écrire : « Tout porte à croire que ce n'est plus pour longtemps. »

Moins de deux ans plus tard, en effet, le candidat François Mitterrand annonçait son intention d'abolir la peine de mort et, dans la foulée des législatives qui suivirent son élection à la présidence de la République, Robert Badinter, nommé garde des Sceaux, fit voter l'abolition par le Parlement le 9 octobre 1981.

Confortée par des traités internationaux, la suppression de la peine de mort ne peut plus être remise en cause en France. Pourquoi, dans ces conditions, publier à nouveau ces *Réflexions* ? Parce que, au-delà de l'intérêt historique de cet ouvrage, le débat ne s'est pas interrompu. Il s'est déplacé et il s'est élargi, en devenant international. Également parce que les arguments qui valaient pour la France en 1957 sont toujours valables, au début du XXIe siècle, dans les pays, notamment démocratiques, où se déroulent encore des exécutions légales.

Depuis 1957 et 1979, le monde a changé. L'abolition a prévalu en Europe, et elle gagne du terrain partout dans le monde. Mais la peine de mort est encore appliquée, parfois à grande échelle, dans de nombreux pays comme la Chine ou l'Iran. Si l'on condamne — sans s'en étonner — le comportement des régimes totalitaires, qu'ils soient matérialistes ou théocratiques, c'est surtout l'attitude de pays démocratiques qui donne lieu à débat. En 1979, Jean Bloch-Michel écrivait : « Une condamnation capitale exécutée aux États-Unis, la première depuis quatre ans, nous inquiète. » De 1967 à 1976, la Cour suprême des États-Unis avait en effet instauré un moratoire de fait. Mais en 1976, un revirement de sa jurisprudence a permis à trente-huit États sur cinquante, et au gouvernement fédéral, de réintroduire la peine de mort dans leurs législations.

C'est ainsi que 720 exécutions ont eu lieu aux États-Unis depuis 1976, dont 37 entre janvier et juin 2001 [1]. Elles s'y déroulent avec cet « apparat moderne, mécanisé, qui s'efforce de masquer en salle d'opération l'ancienne chambre des tortures » que dénonçait déjà, en 1953, un appel contre la peine de mort, transmis à Albert Camus par un comité d'initiative italien [2].

Aux États-Unis, les exécutions ont lieu en présence des parents des victimes, donnant à ce qui ne

[1]. Selon les chiffres cités par des chercheurs de l'université de Lyon II (http://iep.univ-lyon2.fr/PDM/peinedemort.html).
[2]. Cet appel était signé notamment par Nicola Chiaromonte et Ignazio Silone.

devrait être, en tout état de cause, qu'une peine infligée par la société, l'aspect d'une vengeance familiale inspirée de la formule biblique « œil pour œil, dent pour dent ». En juin 2001, le gouverneur Perry, qui a succédé à George W. Bush au Texas — l'État des États-Unis dans lequel ont lieu le plus grand nombre d'exécutions —, a mis son veto à une loi interdisant l'exécution des attardés mentaux. En outre, dans plusieurs États, on exécute aujourd'hui des condamnés qui étaient mineurs au moment où ils ont commis leur crime.

Les insuffisances du système judiciaire américain ont été largement mises en évidence par les Américains eux-mêmes. Les inculpés, s'ils sont pauvres ou « de couleur » — ou les deux — courent bien plus de risques d'être condamnés à mort et exécutés que s'ils sont blancs et riches. De nouvelles techniques, notamment l'identification de l'ADN, ont permis d'innocenter récemment quatre-vingt-dix condamnés à mort (depuis 1973), qui ont été libérés après avoir passé des années dans le « couloir de la mort ». Il ne s'agit pas de stigmatiser le système américain en se voilant la face sur nos propres carences. Simplement, le fait que des peines capitales puissent être prononcées — « que des hommes risquent d'être soumis au châtiment absolu au nom d'une culpabilité qui n'est pas absolument prouvée[1] » — rend les erreurs judiciaires irrémédiables. Tout cela suscite, notamment en France, une vaste campagne contre la peine de mort aux États-Unis.

Paradoxalement, l'exécution, le 11 juin 2001, de Timothy McVeigh, le terroriste d'extrême droite dont

1. Lettre d'Albert Camus au président René Coty, du 22 mars 1954, citée dans les documents annexes.

la bombe avait fait 168 victimes en avril 1995 dans l'Oklahoma, a fait bouger les choses. Le débat sur l'éventuelle retransmission de son exécution sur internet ou sur le câble a dépassé le petit milieu des abolitionnistes et, aujourd'hui, l'opinion publique américaine commence à bouger. En 1990, 80 % des Américains étaient favorables à la peine de mort. Ils n'étaient plus que 62 % au début de 2001. La Cour suprême devait se prononcer à l'automne 2001 sur le cas d'un attardé mental accusé de meurtre, et treize États ont déjà renoncé à exécuter les malades mentaux. Un projet de loi qui financerait l'accès aux tests ADN est en discussion au Sénat. En janvier 2001, le gouverneur de l'Illinois, George Ryan, a décidé d'un moratoire sur la peine de mort après que, dans son État, treize condamnés à mort eurent été reconnus innocents. En juillet 2001, Sandra Day O'Connor, juge à la Cour suprême des États-Unis, qui jusque-là avait soutenu la peine de mort, a affirmé : « Si l'on s'en tient aux statistiques, le système pourrait avoir permis l'exécution d'innocents », ajoutant qu'on pouvait se demander « si la peine de mort était administrée de façon juste dans ce pays[1] ».

Il nous a donc paru utile d'apporter au débat ces *Réflexions* d'Arthur Koestler et d'Albert Camus qui n'étaient plus disponibles.

Comme dans les éditions précédentes nous avons ajouté un tableau de l'état de la peine de mort dans le monde. Nous avons pour cela utilisé les données fournies par Amnesty International, dont la lutte inlassable contre la peine de mort est exemplaire.

Enfin nous publions pour la première fois un certain nombre de lettres et d'interventions d'Albert

1. *Libération* du 6 juillet 2001.

Camus qui montrent que, de la Libération à la veille de sa mort, il n'a cessé d'expliquer sa position et d'intervenir en faveur de condamnés à mort, en France et dans le monde — qu'il ait soutenu leur action comme dans le cas de syndicalistes espagnols, ou qu'il l'ait condamnée, quand il s'agissait, par exemple, de collaborateurs français. À l'heure où il avait choisi de ne plus s'exprimer sur l'Algérie, «toute manifestation publique [étant] susceptible d'être exploitée politiquement et d'ajouter ainsi au malheur de [son] pays[1]», il intervenait discrètement auprès du président de la République en faveur de condamnés à mort algériens.

MARC J. BLOCH

---

1. Lettre inédite à maître Pierre Stibbe, 4 décembre 1957, citée dans les documents annexes.

AVANT-PROPOS
DE
L'ÉDITION DE 1979

La première édition du présent ouvrage a paru en 1957. Sans doute les lignes qui vont suivre auraient-elles dû être écrites par un autre. Mais Albert Camus a disparu, à l'amitié de qui je devais d'avoir collaboré à ce livre. Toute mise à jour en sera donc incomplète puisqu'il y manquera ce qu'il aurait pu dire.

Cependant, pour saluer sa mémoire, rappelons que la première mesure prise par l'Espagne démocratique qu'il attendait avec tant de ferveur a été d'abolir la peine de mort. C'est ce qui a été décidé par le référendum constitutionnel du 6 décembre 1978, le principe de l'abolition ayant paru trop important pour n'être inscrit que dans une loi ordinaire. La France reste donc aujourd'hui le seul État de l'Europe occidentale où la peine de mort soit encore en vigueur. Tout porte à croire néanmoins que ce n'est plus pour longtemps.

Depuis le début du septennat de M. Valéry Giscard d'Estaing, trois condamnés ont subi le supplice de la guillotine : Christian Ranucci, à Marseille, le 20 janvier 1976 ; Jérôme Carrein, à Douai, le 23 juillet 1977 et Hamida Djandouli, à Marseille, le 10 septembre 1977. Il ne faut pas oublier, sans vouloir sur ce point porter de jugement définitif, qu'un doute existe

chez beaucoup sur la culpabilité de Ranucci. Un
livre, des articles ont paru sur ce sujet. Un des derniers — il faut l'espérer — guillotinés aura peut-être
été un innocent.

Les trois dernières condamnations à mort prononcées par des cours d'assises ont été cassées par
la Cour de cassation. Et lors de leur deuxième comparution, les trois accusés ont été condamnés à la
réclusion criminelle à perpétuité. Aujourd'hui, après
que, le 27 février 1979, la cour d'assises de la Côte-
d'Or a condamné Jean Portais à la réclusion criminelle, en refusant de suivre les réquisitions du
ministère public qui réclamait la peine de mort, les
jurés ont fait en sorte qu'il n'y ait plus un seul
condamné à la peine capitale dans les prisons françaises. C'est là une situation qui ne s'était encore
jamais présentée et qui est le signe de quelque chose
de nouveau : alors que, ces dernières années, on
hésitait de plus en plus à appliquer la peine capitale, on se refuse aujourd'hui à la prononcer.

À plusieurs reprises, en effet, ayant à juger de
crimes qui avaient, à juste titre, bouleversé l'opinion, les jurés ont refusé à la fois de suivre les réquisitions du ministère public, de se laisser influencer
par certaines campagnes de presse, ou même de
tenir compte des pressions exercées sur eux par les
représentants d'institutions dont l'impartialité est la
fonction : pour beaucoup de citoyens, et notamment
pour l'auteur de ces lignes, M. Lecanuet restera le
ministre de la Justice qui s'est prononcé, avant
le procès, en faveur de la condamnation à mort d'un
prévenu. À une époque où l'on se montre à bon
droit de plus en plus sourcilleux en matière de respect des droits de l'homme, cette contravention
majeure à l'un de ceux qui sont à la base de nos
démocraties méritait d'être rappelée. Il faut ajouter

que celui qui avait fait l'objet de ces déclarations pour le moins intempestives avait commis un crime affreux. Son avocat, un des adversaires de la peine capitale les plus résolus et les plus efficaces, maître Badinter, devait réussir à le sauver de la guillotine.

On constate donc une certaine distorsion entre l'opinion publique et les décisions prises par les jurés, qui sont censés la représenter. Il est incontestable que, dans sa majorité — bien que celle-ci soit de plus en plus courte — l'opinion publique se déclare encore favorable à la peine de mort. Ainsi en témoignent les sondages, dans la mesure, bien entendu, où on peut leur faire confiance. Mais quand, à des citoyens qui ont peut-être répondu «oui» à ces sondages, on demande de condamner un homme à être «coupé en deux», suivant l'expression de maître Badinter, ils répondent « non ». Il n'y a chez eux aucun laxisme, aucune coupable indulgence à l'égard du crime. Ce n'est pas le criminel qu'ils protègent, c'est la peine capitale qu'ils condamnent : entre le 24 octobre 1978 et le 1er mars 1979, au cours de huit procès, l'avocat général ayant requis huit fois la peine capitale, le jury l'a refusée huit fois.

Certes, devant les résultats obtenus par les campagnes abolitionnistes, la peine capitale trouve toujours des défenseurs. C'est ainsi que s'est constituée en 1965 une Association contre le crime et pour l'application de la peine de mort. Si le créateur de cette association a le droit d'échapper à toute critique — il est le père d'un enfant assassiné — on peut s'étonner de trouver autour de lui des hommes aussi différents que M. Jean Dutourd — dont les articles en faveur de la peine capitale ont pris, dans *France-Soir* le relais de ceux qu'Henri Benazet publiait naguère dans *L'Aurore* — M. Tixier-Vignancourt, M. Christian Bonnet, actuellement ministre de l'Intérieur... et M. Gaston Defferre, député-maire socialiste de Marseille.

Nous avons indiqué qu'aucune condamnation à mort n'avait été prononcée depuis le 24 octobre 1978 : ce n'est pas au hasard que cette date a été choisie. C'est ce jour-là que le problème de la peine capitale a été posé, pour la première fois depuis des décennies, devant le Parlement. En effet, un député de Paris, M. Pierre Bas, avait déposé auparavant une proposition de loi portant abolition de la peine capitale. Constatant que le garde des Sceaux, M. Alain Peyrefitte, et le gouvernement, se refusaient à l'inscrire à l'ordre du jour de l'Assemblée, M. Bas a cherché à atteindre son objectif par le biais d'un amendement à la loi de finances. Cet amendement, déposé le 24 octobre 1978, tendait à supprimer du budget du ministère de la Justice les crédits prévus pour l'entretien et le fonctionnement de la guillotine ainsi que pour la rétribution du bourreau.

L'amendement a été repoussé, mais en obligeant le législateur à se prononcer pour la première fois sur ce problème, il semble que M. Bas ait réussi à vaincre une sorte de tabou. La question, occultée par le pouvoir, se pose désormais ouvertement.

Rappelons en effet qu'un Comité d'études sur la violence, la criminalité et la délinquance avait été installé par le Premier ministre le 20 avril 1976 et placé sous la présidence de M. Alain Peyrefitte. Le texte qui constitue le préambule de son rapport définitif, publié sous le titre « Réponse à la violence », indique que les travaux du comité « étaient pratiquement achevés, et les principaux résultats des recherches qu'il avait lancées étaient déjà pris en compte dans ses réflexions et recommandations quand son président, le 30 mars 1977, a été nommé garde des Sceaux ». Comme on le verra, cette précision n'est pas sans importance.

Dans les deux volumes de ce long et minutieux rapport, établi après l'audition de nombreuses personnalités, retenons deux passages essentiels à notre propos. Le plus important en premier, puisqu'il s'agit d'une recommandation en bonne et due forme :

Recommandation 103
Proposer l'abolition de la peine de mort et — dans le cas où le législateur prendrait une telle décision qui appartient à lui seul — son remplacement par une peine dite de sûreté, qui pourrait être prononcée dans les cas suivants... Pendant une longue durée (à fixer par le législateur) à compter de son prononcé, cette peine ne serait susceptible d'aucune modification, ni administrative, ni juridictionnelle.
Le principe de l'abolition de la peine de mort a été adopté par le Comité à la suite d'un vote à bulletin secret, acquis par six voix contre trois et deux abstentions (*Réponse à la violence*, vol. I, p. 217).

Ce texte, avant d'être l'objet de commentaires, doit être complété par un autre passage du même rapport :

Ces considérations peuvent conduire à estimer que, même à l'égard des condamnés pour les fautes les plus graves, une peine dont l'exécution se traduirait par une incarcération perpétuelle doit être *exclue* » (*op. cit.*, vol. II, p. 507).

Citons encore la conclusion pour le moins surprenante que M. Alain Peyrefitte, alors garde des Sceaux, a donnée à l'exposé de ce rapport :

Voilà quelles furent nos réflexions. Chacun constate qu'on ne peut les résumer en disant que le Comité préconise l'abolition immédiate de la peine capitale. C'est pourtant ce qu'une partie du public a compris. J'ai donc estimé de mon devoir de préciser: «Je ne suis pas sûr que le moment soit venu d'abolir la peine de mort» (*op. cit.*, vol. I, p. 235).

Sur un sujet aussi grave, il convient d'éviter les polémiques. Mais retenons que la recommandation du Comité, que nous avons citée précédemment, ne comporte ni réserve ni délai. La partie du public qui a compris qu'il avait préconisé l'abolition immédiate de la peine capitale avait donc bien compris.

D'autre part, il ne nous a pas paru convenable que, pour justifier le maintien «provisoire» de la peine capitale, M. Peyrefitte ait jugé bon de s'appuyer sur l'autorité d'Albert Camus. La phrase qu'il cite et que Camus avait mise dans la bouche d'un des personnages de *Caligula* n'exprimait que l'opinion de ce personnage. Et il est assez déplaisant de citer n'importe quel passage d'une pièce de théâtre d'un écrivain, sans respect pour le fait que cet écrivain a pris sur le problème évoqué une position assez nette pour qu'on n'utilise pas ses écrits afin d'affirmer le contraire de ce qu'il a dit. Mais passons.

Rappelons que l'argument selon lequel il faut abolir la peine de mort, mais que «le moment n'est pas venu» est celui qui a permis de la maintenir, puisque, faute d'en trouver d'autre, c'est toujours à celui-là qu'on a recours en fin de compte. Aucun homme d'État n'a encore eu le courage, en France du moins, de prendre le contre-pied de cette partie de l'opinion publique qui se déclare favorable à la peine de mort, et de lui montrer ainsi le chemin, plutôt que de la suivre. S'il est vrai, comme l'écrit M. Peyrefitte, qu'avant «de proposer au Parlement d'abolir la peine de mort, il faut y préparer les Français — au lieu de les provoquer» (*ibid.*, p. 236), on doit ajouter que c'est à cette pédagogie sociale que s'appliquent depuis des décennies, et en constante opposition avec les pouvoirs, les partisans de l'abolition. Mais ils savent que s'ils ont réussi à convaincre un grand nombre de leurs concitoyens, il restera toujours des hommes et des femmes favorables, à un moment ou à un autre, sous la pression de tel événement dramatique, au maintien de la guillotine. D'autres sont obscurément convaincus que la guillotine les «protège». Et si l'on pense que «le moment sera venu» le jour où la France entière réclamera avec une belle unanimité la destruction des instruments de la mort officielle, alors il faut dire aussi que ceux-ci seront perpétuellement maintenus, car ce moment n'arrivera jamais. Si l'expérience a prouvé qu'on ne peut «préparer» tout le monde, elle prouve aussi qu'on peut «déshabituer» le public et vaincre ses réflexes.

Cela dit, les choses vont plus vite que certains ne le pensent. Après avoir proposé que s'ouvre un «débat sans vote» sur la peine capitale, le garde des Sceaux, M. Peyrefitte, et le gouvernement ont accepté que les propositions de loi déposées fassent l'objet d'un véritable débat à l'Assemblée nationale. De plus la Commission des lois de cette Assemblée a pris une décision d'importance. Elle a en effet déchargé M. Jean Foyer, ardent partisan de la peine capitale, de son rapport sur les diverses propositions tendant à abolir la peine capitale, et en a chargé M. Philippe Séguin, abolitionniste convaincu. Tout porte à croire que l'abolition de la peine de mort est proche. Mais on ne peut que témoigner son accord avec les propos tenus par M. Séguin dans l'interview qu'il a accordée au journal *Le Matin*, le 20 avril 1979 : «rappelez-vous qu'il y a un peu plus de soixante ans, lors du dernier débat sur ce thème, la peine de mort semblait condamnée. Des événements imprévus ont pourtant fait qu'elle a été maintenue ». Des événements imprévus et la conviction de quelques-uns que « le moment n'était pas venu ».

L'abolition de la peine capitale — et à cela aussi il faut préparer les Français — entraînera à plus ou moins longue échéance la suppression des peines perpétuelles. Cela sera vraisemblablement difficile bien qu'en réalité *elles n'aient jamais été appliquées*. Sauf accident, tout prisonnier sait qu'il sortira un jour de prison. Cette chance qu'on lui donne, cet espoir qu'on lui laisse n'est rien autre d'ailleurs qu'une protection pour le personnel pénitentiaire contre la « bête fauve », l'homme décidé à tout et au pire qu'il deviendrait si on ne lui laissait aucun espoir.

Au cours des vingt années qui se sont écoulées depuis la publication du présent ouvrage, beaucoup de vies humaines ont été sacrifiées à un rite social dont presque tous aujourd'hui sont convaincus qu'il ne sert à rien. Parmi ces victimes, il n'est pas impossible que se soient glissés quelques innocents. Aujourd'hui, il n'y a plus un seul condamné à mort dans les prisons françaises. Tels sont les faits. Et ce sont ces faits que la loi devra consacrer.

Un dernier mot. Les pages qui terminent cet ouvrage ne visent pas à apporter un tableau exhaustif de l'application ou de la non-application de la peine capitale dans les pays étrangers, mais seulement à indiquer les tendances qui se sont manifestées dans certains pays.

En réalité, les pays dont il est question ici sont ceux, même s'ils appliquent la peine de mort, où l'on tue le moins. Une condamnation capitale exécutée aux États-Unis, la première depuis quatre ans, nous inquiète et c'est un fait dont nous devons tenir compte. Alors que nous ne parlerons pas des massacres inspirés par le fanatisme ou la raison d'État qui se sont perpétrés sous nos yeux au Chili et en Indonésie, au Cambodge et en Uruguay, en Ouganda et en Argentine, dans l'Iran des Pahlevi ou des Ayatollah. Ce silence que la logique justifie, il fallait aussi le rompre un instant, ne serait-ce que pour rappeler notre solidarité avec les victimes.

JEAN BLOCH-MICHEL,
juin 1979.

INTRODUCTION
À
L'ÉDITION DE 1957

L'angoisse de la torture, la solitude et la captivité, les approches et le spectacle de la mort violente ont été des expériences communes aux Européens de notre génération. Et depuis une trentaine d'années les régimes totalitaires, leurs polices et leurs armées ont instruit l'Europe dans une discipline nouvelle: celle de la résistance. Car ce n'est pas un nom qui puisse être réservé à telle forme d'action, clandestine ou publique, dans tel pays, à telle époque précise. Depuis le jour où les vieilles démocraties ont dû s'affronter aux fascismes, l'esprit de résistance est né. C'est à lui qu'obéissait Arthur Koestler, en 1937, dans les prisons du général franquiste Queipo de Llano, lorsqu'il se trouvait sous le coup d'une condamnation à mort.

Mais l'esprit de résistance trouve à s'exercer même dans les pays qui se sont vu épargner un régime de police. Il n'est pas, en effet, de démocratie qui ne cache dans quelque obscure institution, soit un vieux reste de régimes d'autorité, soit un germe de destruction des libertés que pourtant elle proclame. Ce sont là des dangers que tous ne voient pas. Arthur Koestler, qui a connu la longue attente solitaire de la mort dans les prisons, s'il a échappé au bourreau, a vu trop de camarades tomber sous ses coups pour s'aveugler sur les tortures de toutes sortes que connaissent les condamnés. Aussi est-ce par une pente naturelle qu'il en est venu à lutter contre ce qui paraissait à ses yeux la plus grave injustice et la plus odieuse atteinte qui puisse être portée aux hommes : la peine de mort. Injustice plus grave, atteinte plus odieuse que le meurtre qu'elle prétend punir, puisqu'il s'agit aussi d'un meurtre, mais raisonné, administratif et, ce qui est pire encore, admis.

En 1955, Arthur Koestler créait la Campagne nationale pour l'abolition de la peine de mort. Des réunions publiques furent tenues dans toute l'Angleterre. La pression de l'opinion fut telle que, pour s'opposer à une proposition parlementaire d'abolition, le gouvernement de Sir Anthony Eden élabora un projet de compromis. Le 13 février 1956, ce projet était repoussé et l'abolition votée par la Chambre des communes. Deux votes dans le même sens furent acquis en seconde, puis en troisième lecture. Cependant, la Chambre des lords refusa de suivre les Communes et vota pour le maintien de la peine capitale.

En automne 1955, Arthur Koestler écrivit son livre *Reflexions on Hanging* (*Réflexions sur la potence*) que publia d'abord l'hebdomadaire l'*Observer*. Ce livre se référait aussi bien à des arguments d'ordre général contre la peine de mort qu'à une explication détaillée de la manière dont la loi anglaise l'administrait. La traduction que nous publions aujourd'hui en France n'est donc pas complète. D'accord avec l'auteur, nous en avons résumé certaines parties, nous en avons supprimé d'autres trop spécialement britanniques pour intéresser le public français. Mais nous nous sommes efforcés, dans notre choix, de ne rien laisser de côté, dans la discussion de la peine de

mort, qui soit applicable à tous les pays et à toutes les
législations qui l'admettent encore. En même temps,
nous avons gardé les chapitres plus particulièrement destinés au public anglais, mais qui rendent
claire la position d'un abolitionniste en Angleterre.
D'ailleurs, comme on en pourra juger, si les origines
et le développement de la législation sur la peine
capitale diffèrent en Angleterre et en France, les
deux pays en sont arrivés aujourd'hui à des situations qui ne sont pas sans ressemblances.

Un point doit être immédiatement éclairci. Au
moment où Arthur Koestler publiait ses *Réflexions
sur la potence*, le gouvernement britannique n'avait
pas encore usé de la faculté que lui donnaient les
votes contradictoires de la Chambre des communes
et de la Chambre des lords, c'est-à-dire qu'il n'avait
pas encore promulgué une loi qui tînt compte à la
fois des vœux de l'une et du refus de l'autre. Il vient
de le faire, et les abolitionnistes, s'ils ne remportent
pas immédiatement une victoire totale, obtiennent
d'importantes satisfactions et la certitude de gagner
la partie à terme.

Il faut en effet se rappeler que, contrairement à la
loi française, la loi anglaise ne connaissait pas, pour
les affaires de meurtre, de circonstances atténuantes.
Alors que la délibération d'un jury français peut
aboutir à une condamnation qui va de la prison avec
sursis à la peine capitale, aucun choix de ce genre
n'était laissé au jury anglais. Ou bien l'inculpé était
déclaré innocent, et il sortait du tribunal libre de toute
poursuite. Ou il était jugé coupable, et on ne pouvait
éviter la condamnation à mort. Une troisième possibilité était pourtant offerte : déclarer l'accusé *guilty
but insane* (coupable, mais dément), et dans ce cas il
quittait la prison pour l'asile. Encore faut-il ajouter
que, comme on le verra dans le chapitre « Le précé-

dent sans précédent», les juges devaient se plier à
des règles qui rendaient presque impossible de
déclarer dément un homme coupable de meurtre.
Du moins en aurait-il été ainsi si la loi et les trop
fameuses «règles M'Naghten», fixant les conditions
dans lesquelles un meurtrier pouvait être déclaré
irresponsable, avaient toujours été suivies. En fait, la
législation anglaise avait pour objet de mettre le jury
et les juges en présence d'un dilemme d'une terrible simplicité : l'innocence entière ou la culpabilité
totale et, partant, la vie ou la mort. C'est notamment contre une aussi monstrueuse simplification
qu'Arthur Koestler s'est élevé dans son livre et, sur ce
point, il a gagné.

La nouvelle loi sur l'homicide, approuvée en mars
1957 par la Chambre des lords, comporte en effet des
dispositions, à première vue surprenantes, mais qui
apparaissent à l'examen comme une transformation
profonde de la législation pénale, dans le sens de
l'adoucissement. La loi ne maintient la peine de mort
que pour les crimes commis afin de permettre un vol,
pour ceux dont les victimes auront été des membres
de la police, du personnel des prisons, etc., et pour
tous les crimes commis par armes à feu. Cette dernière clause est destinée, non pas comme on pourrait
le croire à établir entre l'empoisonnement — par
exemple — et le coup de revolver une comptabilité
pénale en faveur du premier, mais à permettre à la
police anglaise de maintenir une tradition chère à
tous les citoyens britanniques : les policiers ne sont
jamais armés. Ils se sentent mieux protégés par la loi
et par la justice que par un colt.

Mais surtout la nouvelle loi modifie dans deux
sens, et de façon radicale, l'ancienne législation :

1. Elle stipule que ne pourra être accusée de
meurtre une personne «souffrant d'une anomalie

mentale (que cette anomalie provienne d'un retard ou d'un arrêt du développement mental, qu'elle soit héréditaire ou qu'elle provienne d'une maladie ou d'une blessure) telle qu'elle altère de façon substantielle sa responsabilité mentale dans les actes ou omissions auxquels cette personne s'est livrée en commettant le crime ou en y participant». De cette façon, la loi sur l'homicide détruit définitivement les «règles M'Naghten», dont on trouvera une violente critique dans l'exposé d'Arthur Koestler.

2. L'article III de la loi introduit la notion de «provocation» dans des termes nouveaux : «La question de savoir si la provocation a été suffisante pour conduire un homme raisonnable à agir comme il [l'accusé] l'a fait sera laissée à l'appréciation du jury.» Le jury anglais aura donc la possibilité de tenir compte de circonstances atténuantes, la provocation prise dans un sens aussi large pouvant trouver d'innombrables applications.

D'après les prévisions du gouvernement, l'application de la nouvelle loi permettra de réduire la moyenne annuelle des exécutions en Angleterre de treize à trois. C'est-à-dire que, pratiquement, la peine de mort tombera dans ce pays en désuétude comme, pratiquement, elle est tombée en France.

Mais c'est à partir de là que la situation des deux pays prend des aspects différents. En effet, le parti travailliste a pris l'engagement d'abolir la peine de mort. Il suffira qu'il revienne au pouvoir, et cela ne saurait manquer, pour que la peine de mort soit supprimée. Commentant cette éventualité, Arthur Koestler pouvait écrire, dans une lettre qu'il adressait à l'auteur de ces lignes : «En bref, en Angleterre, la bataille est gagnée.»

Elle ne l'est pas encore en France. Il semble même, tant l'opinion et les pouvoirs publics montrent d'indifférence, qu'il s'agisse là d'un problème qui n'intéresse personne. Mais le silence est surtout le fait des autorités. Il suffira qu'on le brise pour que tout le monde entende le vilain bruit que font les exécutions. C'est à cela que s'attache aujourd'hui Albert Camus.

Alors que le texte d'Arthur Koestler demandait, pour être présenté au public français, les explications qui viennent d'être données, celui d'Albert Camus n'a besoin d'aucun éclaircissement préalable. Ce dont il parle, tous les Français le savent ou devraient le savoir. Il n'est besoin que de le leur rappeler. Qu'il s'agisse d'une tâche urgente, il suffira pour que cela soit évident à tous qu'ils se souviennent que dans une des dernières affaires qu'ait eues à juger la cour d'assises de la Seine, un avocat, maître Baudet, a davantage plaidé contre la peine de mort que pour son client. Ce qui devient aujourd'hui insupportable aux auxiliaires de la justice peut-il donc continuer d'être admis par tous? La réponse est que la peine de mort n'existe encore que parce que nous fermons les yeux et les oreilles pour ne rien en connaître. Ce livre n'a d'autre objet que de mettre chaque lecteur devant une réalité que son indifférence refuse. Cela a suffi, en Angleterre, pour que l'abolition de la peine de mort passe de l'utopie au projet, et pour que tout garantisse que ce projet sera bientôt réalisé. Il n'y a pas de raison pour que cela ne suffise pas aussi en France.

JEAN BLOCH-MICHEL,
1957.

ARTHUR KOESTLER

Réflexions
sur la potence

Préface

En 1947, au cours de la guerre civile espagnole,
j'ai passé trois mois sous le coup d'une condamnation à mort pour espionnage, témoin de l'exécution
de mes camarades de prison et me préparant à la
mienne. J'ai gardé de ces trois mois un intérêt
particulier pour la peine capitale, un peu comme
celui que pouvait avoir pour elle «Smith-l'à-moitié-
pendu», dont la corde fut coupée quinze minutes
après le début de son exécution, et qui pourtant y
survécut. Aussi, chaque fois qu'un homme ou une
femme doit avoir la nuque brisée dans ce paisible
pays, mes souvenirs recommencent à suppurer,
comme une plaie mal fermée. Je ne pourrai jamais
accéder vraiment à la paix intérieure tant que la
peine de mort ne sera pas abolie.

Telle est donc la pente qui me fait agir. Je consens
que cela donne une certaine couleur aux arguments
qui sont contenus dans ce livre. Mais cela ne change
rien aux faits, et, la plupart du temps, ce livre
n'évoque que des faits. J'avais bien l'intention
d'écrire de façon froide et détachée, mais je n'ai pas
pu: l'indignation et la pitié m'ont emporté. À tout
prendre, cela vaut peut-être mieux, car la peine de
mort n'est pas seulement un problème de statis-

tiques ou de moyens, mais de morale, et de sentiments. Pour que la plaidoirie soit honnête, il faut
que les faits et les chiffres soient exacts, et que les
citations ne soient ni altérées, ni tronquées. Mais
cela n'exclut pas que l'on ait un cœur, et qu'on
souffre.

Certains de mes amis, dont l'érudition m'a été
particulièrement utile pour écrire ce livre, ont bien
voulu me mettre en garde contre les outrages qu'on
pourra m'imputer, à l'encontre de certains préjugés vénérables, de certaines susceptibilités traditionnelles concernant les juges et les jurys, la notion
de loyauté dans la procédure, la prérogative du
droit de grâce, etc. J'ai méprisé ces mises en garde,
pensant que la lâcheté ne paie pas, et parce que je
suis persuadé que la cause de l'abolition doit une
partie de sa faiblesse à son manque de franchise.
D'autres m'ont conseillé d'être discret sur les aspects physiologiques des exécutions, passées et présentes. Cela consisterait à dire que la reine d'Espagne n'a pas de jambes, et que le condamné n'a
pas de cou. En moyenne, nous pendons une personne par mois : si une telle chose est faite au nom
du peuple, le peuple a le droit de savoir de quoi il
s'agit.

La raison pour laquelle, il y a trente ans, j'ai fait
connaissance avec la cellule des condamnés à mort,
c'est que je mettais alors mes espoirs de salut pour
l'humanité dans la révolution mondiale. Ce livre a
pour objet, plus modestement, d'épargner à une dou-
zaine de pauvres diables de passer chaque année
par les terreurs et les souffrances d'une expérience
identique. En dehors de celle-là, une question plus
importante est aujourd'hui posée. Car l'échafaud
n'est pas seulement une machine de mort, c'est aussi
le plus vieux et le plus obscène symbole de cette ten-

dance propre à l'espèce humaine, qui la conduit à vouloir sa propre destruction morale.

ARTHUR KOESTLER,
Londres, 3 octobre 1955.

I

L'héritage du passé

Le procès commence, les avocats viennent ;
Les juges sont à leur place (quel affreux
spectacle !)

JOHN GAY, *L'Opéra de quat' sous*.

Le diable-dans-la-boîte

La Grande-Bretagne est ce curieux pays d'Europe
où les autos roulent à gauche, où l'on mesure
en pouces et en yards, et où l'on pend les gens par
le cou jusqu'à ce que mort s'ensuive. Il ne viendra jamais à l'idée de la plupart des Britanniques
qu'on pourrait s'étonner de ces habitudes. Chaque
nation considère comme allant de soi ses propres
traditions, et la pendaison fait partie des traditions
britanniques, ni plus ni moins que de compter
en shillings et en pence. Des générations d'enfants
ont poussé des cris de frayeur et de délice devant
leur guignol en voyant arriver la marionnette du
bourreau. Quatre exécuteurs des hautes œuvres
ont leur nom dans le *Dictionnaire national bio-
graphique* : Jack Ketch, Calcraft et « William Boil-

man[1]» étaient, du temps qu'ils vivaient, aussi populaires que peuvent l'être aujourd'hui des stars de
cinéma. Il semble qu'il y ait une sorte de burlesque
dans cette procédure, comme si la victime qui gigote
au bout de la corde n'était pas un être humain, mais
un mannequin de carnaval. Notre bourreau actuel,
Pierrepoint, tient un cabaret à l'enseigne de *Aidez le
pauvre Diable*; son ancien assistant en tenait un qui
se nommait *La Corde et l'Ancre*, et le Lord Chief
Justice[2] en exercice a fait la joie d'un banquet de
l'Académie royale en racontant l'histoire du juge
qui, après avoir condamné trois hommes à mort,
avait reçu l'aubade d'un orchestre jouant le célèbre
refrain de l'Association de canotage d'Eton : *Nous
nous balancerons tous ensemble*. Ce détail se trouvait dans un portrait de Lord Goddard publié dans
l'*Observer*, portrait où on disait encore ceci :

On raconte une histoire sur son enfance qui, même si
elle est apocryphe, rend un compte assez exact de la
légende qui entoure Lord Goddard. En arrivant au collège
de Marlborough, il dut se plier à la coutume qui voulait
que chaque nouvel élève chantât ou récitât quelque chose
au dortoir. Prié de chanter, on raconte que le futur Chief
Justice étonna grandement ses camarades en psalmodiant
d'une voix aiguë la formule exacte de la condamnation à
mort : «Vous serez emmené d'ici et conduit à l'échafaud,
et vous serez pendu par le cou jusqu'à ce que mort s'ensuive. Que Dieu ait pitié de votre âme!»

1. Surnom du bourreau provenant, selon Macaulay, de la coutume qui veut que les entrailles du traître soient bouillies publiquement, après avoir été arrachées du corps encore vivant.
2. Le Lord Chief Justice est à la fois le plus haut magistrat
d'Angleterre et le ministre de la Justice, charge qu'il partage avec
le Lord Chancelier et, pour certaines fonctions, avec le ministre de
l'Intérieur. Nous lui conservons son titre anglais, aucun équivalent
français ne pouvant être donné (*N.d.T.*).

Tout se passe donc comme si la pendaison avait une sorte de gentillesse macabre, comme si elle était une vieille plaisanterie de famille que seuls les abolitionnistes et autres personnages dépourvus d'humour sont incapables d'apprécier.

Le 2 novembre 1950, M. Albert Pierrepoint était appelé à témoigner devant la Commission royale sur la peine de mort. Comme on lui demandait combien de personnes il avait pendues durant sa carrière de bourreau, il répondit : « Quelques centaines. »

Q. — Avez-vous connu des moments difficiles ?
R. — Un seul, pendant toute ma carrière.
Q. — Que s'était-il passé ?
R. — Il était grossier. Nous n'avons pas eu de chance avec lui. Ce n'était pas un Anglais, c'était un espion. Il faisait un chahut terrible.
Q. — Il se battait contre vous ?
R. — Pas seulement contre moi, contre tout le monde.

M. H. N. Gedge, faisant fonction de shérif adjoint du Comté de Londres, fut également entendu par la Commission sur l'incident provoqué par ce personnage déplaisant, qui avait fait un tel chahut, et il confirma les déclarations de M. Pierrepoint.

Oui. C'était un étranger et, personnellement, j'ai remarqué que les Anglais se tiennent mieux dans ces cas-là que les étrangers... Il se précipita tête baissée sur l'exécuteur et se mit à se débattre de toutes ses forces. Nous essayâmes de lui passer une courroie autour des bras, mais, encore une malchance, la courroie était neuve... et il s'arrangea pour se libérer les bras.

Tout est clair. La pendaison est parfaite pour les Anglais ; et même, c'est à croire qu'ils aiment cela.

Il n'y a que les étrangers avec qui on ait des ennuis. Ils n'apprécient ni le côté amusant, ni le côté solennel et rituel de cette procédure, et pas davantage la respectable tradition qui l'appuie. À ce dernier propos, il faut citer la réponse que le Lord Chief Justice fit quand on lui demanda s'il était ou non partisan de maintenir l'habitude, pour le juge, de se voiler la tête de noir pour prononcer une condamnation à mort :

Je crois que oui. C'est traditionnel, et je ne vois pas pourquoi on interromprait une tradition qui remonte à plusieurs siècles, à moins, bien entendu, qu'il n'y ait de bonnes raisons à cela... La raison pour laquelle le juge se voile la tête pour prononcer une condamnation à mort provient simplement, à mon avis, du fait que se couvrir la tête était autrefois un signe de deuil. C'est pourquoi on continue de le faire.

M. Pierrepoint, lui aussi, exprima fortement son point de vue quant aux aspects traditionnels du procédé.

Q. — J'imagine que les gens vous parlent de votre métier.
R. — Oui, mais je refuse d'en parler. C'est quelque chose qui je pense, devrait rester secret... Pour moi, c'est sacré.

On imagine difficilement deux personnes plus éloignées l'une de l'autre, par le rang et par la dignité, que ces deux serviteurs de la société. Cela ne fait que rendre plus frappante encore la similitude de leurs opinions. Ainsi, quand on demanda à Lord Goddard ce qu'il pensait d'une proposition tendant à abolir la peine de mort pour les femmes, il répondit : « Je ne comprends pas du tout cette attitude. » Et comme on demandait à M. Pierrepoint s'il y avait quelque chose de particulièrement déplaisant à exécuter une femme, il répondit qu'il n'en était rien.

Q. — Trouvez-vous que votre devoir est particulièrement éprouvant à exercer, ou bien y êtes-vous habitué ?
R. — J'y suis habitué, maintenant.
Q. — Vous n'êtes jamais ému ?
R. — Non.

On ne demanda pas à Lord Goddard combien de personnes il avait condamnées à mort ou s'il en avait été ému, mais on lui demanda s'il pensait qu'il fallût prononcer moins de condamnations à mort, ou, au contraire, s'il fallait accorder moins souvent de commutations de peines aux condamnés. Il répondit qu'on accordait beaucoup trop de commutations. On lui demanda s'il trouvait normal qu'un homme dont la folie était prouvée fût condamné à mort. Il répondit qu'il pensait que c'était parfaitement normal.

Je n'ai, personnellement, aucune animosité contre le Lord Chief Justice Rayner Goddard, mais en tant que magistrat le plus élevé du royaume, il est le symbole de l'autorité, et ses opinions, que j'aurai souvent l'occasion de citer, sont d'un grand poids dans ce débat sur la peine de mort. Ce n'est pas par hasard que Lord Goddard utilise les arguments qui sont les siens : ils expriment précisément l'attitude de tous ceux qui sont partisans du maintien de la peine capitale. Leurs arguments, et la philosophie sur laquelle se fondent ces arguments, n'ont pas changé depuis deux cents ans, comme les pages qui vont suivre le démontreront. C'est pourquoi on ne peut vraiment les comprendre qu'en se guidant à la lumière qui nous vient du passé.

L'échafaud et le bourreau ne sont plus que des souvenirs du passé dans toutes les démocraties occidentales, à l'exception de la France. La peine de mort a été abolie dans plusieurs États de l'Amérique du Nord, dans presque toute l'Amérique centrale et l'Amérique du Sud, dans de nombreux États d'Asie et en Australie : en tout, dans trente-six pays, c'est-à-dire dans la plus grande partie du monde civilisé.

Les Britanniques sont, chacun le reconnaît, des hommes disciplinés et respectueux des lois, plus que la moyenne des citoyens appartenant à des nations qui ont aboli la peine capitale, parmi lesquels il faut compter des Sud-Américains au tempérament sanguin et les Allemands qui ont été soumis pendant des années à l'influence abrutissante du régime nazi. Pourtant, les défenseurs de la peine de mort affirment que notre nation, contrairement aux autres, ne peut se permettre de renoncer aux services du bourreau, protecteur et vengeur de la société. Ils disent que l'exemple des autres peuples ne prouve rien, parce que, dans notre pays, les conditions se présentent d'une façon « différente ». Il se peut que les étrangers soient détournés du crime par la crainte d'un long emprisonnement, mais les criminels britanniques ne le sont que par la potence. Cette conviction paradoxale est si profondément enracinée dans l'esprit des partisans de la pendaison qu'ils ne se rendent même pas compte à quel point elle est paradoxale. La plupart d'entre eux détestent la pensée même que la pendaison existe et reconnaissent qu'il s'agit là d'une habitude aussi repoussante que malfaisante. Mais ils croient que c'est un mal nécessaire. Cette croyance dans l'irremplaçable valeur d'exemplarité de la peine de mort, les longues et patientes enquêtes de la Commission parlementaire de 1930 et de la Commission royale de 1948 ont démontré qu'elle n'était qu'une super-stition. Comme toutes les superstitions, elle par-ticipe de la nature du diable-dans-la-boîte : vous aurez beau refermer le couvercle, à coups de faits et de statistiques, le diable bondira pourtant de nou-veau hors de sa boîte, parce que le ressort qui le pousse est le pouvoir inconscient et irrationnel des croyances traditionnelles. Aussi toute discussion est-elle inutile si l'on ne remonte pas aux origines de cette tradition, pour extraire du passé les élé-ments qui exercent sur nos attitudes actuelles une si puissante action. C'est ce que nous allons faire. Ce sera une excursion dans un chapitre étrangement négligé et mal connu de l'histoire d'Angleterre.

Le « Code sanglant »

Nous procéderons en deux étapes : nous décri-rons d'abord la méthode selon laquelle on luttait contre le crime aux alentours de 1800 ; puis nous remonterons plus loin, afin d'expliquer comment on avait pu en arriver à une telle situation.

Au commencement du XIXe siècle, la législation cri-minelle de notre pays était plus connue sous le nom de « Code sanglant ». Ce Code avait ceci d'unique au monde qu'il prévoyait la peine de mort pour environ deux cent vingt ou deux cent trente délits et crimes, tels que le vol de navets, le fait de s'associer avec des gitans, les dommages causés aux poissons des étangs, l'envoi de lettres de menaces, ou le fait d'être trouvé armé ou déguisé dans une forêt. Les autorités judiciaires elles-mêmes ne connaissaient pas exacte-ment le nombre de fautes punies de mort.

Notez que nous ne parlons pas des ténèbres du Moyen Âge, mais du début du XIXe siècle, jusqu'au règne de la reine Victoria, de l'époque où, dans tous les pays civilisés, les délits contre la propriété étaient exclus du champ d'application de la peine de mort. À cette époque, le plus grand juriste britannique du XIXe siècle, Sir James Stephen, parlant de la législation criminelle, pouvait dire qu'elle était « la plus maladroite, la plus insouciante et la plus cruelle législation qui ait jamais déshonoré un pays civilisé ».

Cet état de choses était d'autant plus surprenant que sous bien d'autres rapports, la civilisation britannique était en avance sur le reste du monde. Les visiteurs étrangers étaient fortement impressionnés par la correction des tribunaux britanniques, et non moins horrifiés en même temps par les châtiments sauvages qu'ils infligeaient. Potences et gibets étaient des objets si courants dans la campagne anglaise que les premiers guides édités à l'usage des voyageurs les utilisaient comme points de repère.

Rien qu'entre Londres et East Grinstead, trois échafauds étaient dressés, plus quelques gibets où les corps des criminels étaient suspendus par des chaînes « jusqu'à ce que le cadavre soit pourri ». Parfois, le criminel était attaché vivant et mettait plusieurs jours à mourir. Parfois, le squelette restait pendu longtemps après que le corps se fut décomposé. La dernière utilisation du gibet est de 1832, à Saffron Lane, près de Leicester : le corps de James Cook, relieur de son état, y fut suspendu à trente-trois pieds de haut, la tête rasée et enduite de goudron, mais on dut l'enlever au bout de quinze jours, les flâneurs du dimanche ayant fait du gibet un lieu de promenade et de distraction.

Les « jours de pendaisons » furent, pendant tout le XVIIIe et la moitié du XIXe siècle, l'équivalent des fêtes nationales, en plus fréquent. Et les artisans qui devaient livrer leur marchandise en temps voulu n'omettaient pas de prévoir que «s'il y avait entre-temps un jour de pendaison, celui-ci serait chômé».

Le symbole de la pendaison était l'Arbre de Tyburn. Et les scènes qui avaient lieu lors des exécutions publiques étaient plus qu'une sorte de déshonneur national : c'étaient des flambées de folie collective, dont les lointains échos peuvent être encore enten-dus aujourd'hui, au moment où l'avis d'exécution est affiché à la porte d'une prison.

Cependant, le XIXᵉ siècle avançait. Certains pays d'Europe avaient déjà aboli la peine de mort, d'autres la laissaient tomber en désuétude. Toutefois, en Angle-terre, les pendaisons publiques, bien qu'elles eussent lieu désormais aux alentours des portes des prisons, demeuraient des espèces de sabbats de sorcières, officiellement organisés. Les scènes qui se dérou-laient alors prenaient des aspects d'excitation et de violence inattendus. Les gens se battaient entre eux. C'est ainsi qu'en 1807 une foule de quarante mille personnes venues assister à l'exécution d'Holloway et d'Haggerty, fut prise d'un tel délire que près de cent morts restèrent sur le terrain quand le spectacle eut pris fin.

Ce n'étaient pas seulement les gens des basses classes qui étaient atteints de cette perversion : des estrades étaient construites pour les spectateurs dis-tingués, exactement comme on le fait aujourd'hui pour les matches de football ; les balcons du voisi-nage étaient loués à des prix exorbitants ; les dames de l'aristocratie, portant des loups noirs, faisaient la queue pour rendre visite au condamné dans sa cel-lule. Quant aux jeunes gens élégants et aux vrais amateurs, ils traversaient parfois tout le pays pour assister à une belle pendaison. Et pourtant, cela se passait à l'époque sensible du romantisme, du temps que les femmes s'évanouissaient à la moindre émotion, et que des hommes barbus répandaient de douces larmes dans les bras les uns des autres.

Les victimes étaient pendues seules, ou parfois par groupes de douze, seize et même vingt. Souvent, les condamnés étaient ivres, et les bourreaux ne l'étaient pas moins. Mais qu'il fût ivre ou sobre, il arrivait souvent au bourreau de perdre son sang-froid devant l'hystérie de la foule et de bousiller son travail. Nombreux sont les exemples de gens qu'il fallut pendre en s'y reprenant à deux et même à trois fois. Parfois, on faisait revenir à elle la victime en la saignant au talon, puis on la pendait derechef. Dans d'autres cas, le bourreau et ses aides devaient se suspendre aux jambes du pendu pour ajouter leur poids au sien. Il arrivait que le corps fût déchiré, ou la tête arrachée. À plusieurs reprises, on vit arriver l'ordonnance de grâce alors que la victime était déjà au bout de la corde : on coupait alors celle-ci. C'est ce qui advint à un certain Smith, surnommé «l'à-moitié-pendu» : il se trouvait au bout de la corde depuis près d'un quart d'heure... Conduit dans une maison du voisinage, il reprit rapidement connaissance à la suite des saignées et des autres soins qui lui furent administrés.

Ces horreurs se poursuivirent durant le XIXᵉ siècle. Tout était fait de façon incertaine, si hasardeuse et si barbare que, non seulement il arriva que des pendus fussent encore en vie quinze minutes et plus après le début de l'étranglement, mais on cite même avec certitude le cas de victimes qui reprirent connaissance sur la table de dissection. D'autres furent ranimés par leurs amis, après avoir été dépendus, grâce à des bains chauds, des saignées, des massages de la colonne vertébrale, etc.

Dès qu'on aborde la discussion sur la peine de

mort, on ne peut éviter d'entrer dans ces répug-
gnants détails techniques : il faut qu'on sache exactement de quoi l'on parle. Car il ne s'agit pas de
questions intéressant seulement un passé lointain.
L'hypocrisie officielle, prenant avantage du fait que
les exécutions ne sont plus publiques, prétend que
la pendaison moderne est une technique parfaitement mise au point, et que cela se passe toujours
«rapidement et sans incident», ainsi que les directeurs de prison sont tenus de le dire, contrairement
à la vérité. Mais la pendaison des criminels de guerre
de Nuremberg fut marquée d'incidents affreux, et
celle de Mrs Thompson, en 1923, fut une boucherie
aussi révoltante que toutes celles dont parlaient les
gazettes du siècle dernier. Le bourreau qui exécuta
cette femme tenta de se suicider peu de temps après,
et l'aumônier de la prison déclara «que le désir qu'il
éprouva de la sauver, au besoin par la force, fut quasiment insurmontable». Pourtant, les porte-parole du
gouvernement continuent à nous dire que tout est
parfaitement au point, et les porte-parole du gouvernement sont des hommes honorables.

   Plus déshonorantes encore, s'il est possible, que
l'exécution elle-même étaient les scènes qui se pro-
duisaient immédiatement après. Des mères menaient
leurs enfants à l'échafaud, afin que la main du supplicié les touchât, car on considérait qu'elle avait un
pouvoir spécial de guérison ; on arrachait des mor-
ceaux du gibet pour en faire des remèdes contre le
mal de dents. Puis les commis des chirurgiens se dis-
putaient le cadavre : c'était la façon la plus courante
de se procurer des corps pour les disséquer.

   On ne faisait guère de distinction quant à l'âge et
au sexe. Les femmes coupables d'avoir assassiné leur
mari n'étaient pas écartelées, mais brûlées vives.

Les enfants âgés de moins de sept ans n'étaient pas passibles de la peine de mort: ils ne l'étaient vraiment que passé quatorze ans. Cependant, entre sept et quatorze ans ils pouvaient être pendus s'il y avait à leur encontre «une preuve évidente de leur malignité», la malignité étant considérée comme tenant lieu de majorité pénale. Voici quelques exemples.

En 1748, William York, un garçon de dix ans, fut condamné à mort pour meurtre. Le Chief Justice remit son exécution, s'inquiétant de savoir s'il était convenable de pendre un enfant. Tous les juges déclarèrent que c'était ce qu'il fallait faire, affirmant notamment qu'il «serait très dangereux qu'on pût croire qu'il est possible à un enfant de commettre un crime aussi affreux en étant assuré de l'impunité... Par conséquent, bien que mettre à mort un enfant de dix ans pût paraître cruel, il le fallait car l'*exemple que comporterait un tel châtiment servirait à empêcher d'autres enfants de commettre des crimes semblables*».

En 1800, un autre enfant fut condamné à mort, pour avoir falsifié des comptes au bureau de poste de Chelmsford. Le juge qui avait prononcé la condamnation expliquait ainsi à Lord Auckland les raisons pour lesquelles il avait refusé toute commutation de peine:

Toutes les circonstances de cette escroquerie montrent, de la part du coupable, une adresse et une invention bien au-dessus de son âge. C'est pourquoi j'ai refusé la requête de son défenseur et ne lui ai pas accordé de sursis en raison de son âge tendre, étant convaincu qu'il savait parfaitement ce qu'il faisait. Cependant, ce n'est qu'un enfant, entre dix et onze ans, portant encore la bavette ou plutôt ce que votre vieille nourrice, cher ami, appellerait un tablier. Afin de calmer les sentiments du prétoire, où chacun exprimait son horreur de voir pendre un enfant si jeune, après avoir exposé la nécessité de la poursuite et l'immense danger qu'il y aurait à ce qu'il fût admis dans le monde qu'un enfant pût commettre un tel crime dans l'impunité, alors qu'il savait ce qu'il faisait, je laissai entendre qu'il était encore au pouvoir de la Couronne d'intervenir dans chaque cas soumis à sa clémence.

Cela se passait en 1800. Comparons de tels propos avec ceux que tint Lord Goddard, résumant devant le jury le cas de Craig, seize ans, et de Bentley, dix-neuf ans. Rappelons que Craig était illettré et que Bentley était atteint de déficience mentale reconnue, et que l'un et l'autre avaient reçu pour seule éducation celle que dispensent les films de gangsters et les *comics* de journaux.

Écartons de notre esprit, pour juger de cette affaire, tout ce qui pourrait avoir un rapport avec les films, les *comics* ou toute sorte de littérature. Ce sont là des choses auxquelles on se réfère aujourd'hui quand de jeunes prisonniers sont dans le box, mais elles n'ont jamais que peu de rapports avec le procès. Ces deux jeunes hommes — ou ces jeunes garçons, comme vous voudrez les nommer — ont tous deux atteint un âge qui les rend responsables devant la loi. Ils ont plus de quatorze ans, et il n'est pas sérieux de prétendre aujourd'hui qu'un garçon de seize ans ne se rend pas compte du crime qu'il commet en s'armant d'un revolver, en prenant des munitions plein ses poches et en se servant de son arme au cours d'une expédition évidemment contraire à la loi...

Le Lord Chief Justice continua d'être fidèle à la tradition quand, en 1948, il s'opposa avec succès à une proposition tendant à élever de dix-huit à vingt et un ans l'âge où la responsabilité pénale rendrait passible de la peine de mort. Selon la loi britannique, un individu âgé de moins de vingt et un ans n'est pas considéré comme majeur pour signer un contrat ou un testament : mais il est majeur pour être pendu, intestat.

Des peines de mort furent prononcées contre des enfants jusqu'en 1833. Cette année-là, un garçon de neuf ans fut condamné à la pendaison pour avoir volé, à travers une devanture brisée, des encres de couleur pour une valeur de deux pence. Seule la protestation du public lui fit obtenir une commutation de peine. Samuel Rogers raconte dans ses *Propos de table* qu'il vit « un groupe de petites filles, habillées de couleurs différentes, qu'on emmenait pour être exécutées à Tyburn ». Et Greville décrit le procès de plusieurs jeunes garçons qui, condamnés à mort, manifestèrent une horrible surprise et fondirent en larmes. Il remarque laconiquement : « Je n'ai jamais vu des garçons pleurer autant. »

En 1801, Andrew Brenning, âgé de treize ans, fut pendu en public pour s'être introduit par effraction dans une maison et avoir volé une cuillère. En 1808, une petite fille de sept ans fut pendue à Chelmsford pour avoir mis le feu à une maison, et une autre petite fille de treize ans fut pendue à Maidstone. Trois ans plus tard, le Lord Chancelier, Lord Eldon, s'opposant à un adoucissement de la loi, eut l'impudence de déclarer que « depuis vingt-cinq ans qu'il était conseiller de Sa Majesté, autant qu'il pouvait s'en souvenir, jamais la grâce n'avait été refusée dans un procès où il n'y avait pas lieu de la refuser ».

Des déclarations identiques, à propos de la grâce qui n'est « jamais refusée » dès qu'il existe une « lueur de doute », furent faites au cours du débat de 1948 sur la peine de mort, et dans d'autres circonstances, après que Bentley, Evans, Rowland, etc., eurent été pendus.

Répétons-le : nous ne parlons pas des ténèbres du Moyen Âge, mais au contraire du Siècle des

Lumières, de cette époque où, dans toute l'Europe, la législation criminelle s'humanisait rapidement. Sous l'influence des enseignements de Beccaria, de Montesquieu et de Voltaire, la peine de mort était abolie pour la première fois en Autriche, dès 1781, par Joseph II. Son frère, le grand-duc de Toscane, suivait son exemple en 1786 et promulguait un code pénal qui proclamait que le principal objet des peines était la réadaptation du criminel à une vie normale. La Grande Catherine publiait en 1767 ses célèbres *Instructions* qui abolissaient la peine de mort, et déclarait : « C'est la modération qui conduit les peuples, et non une excessive sévérité. » (Bien que le nouveau Code pénal que les *Instructions* ordonnaient de préparer ne fût jamais promulgué, ces *Instructions* devaient révolutionner le système pénal russe et se présentaient, d'autre part, comme une manifestation typique de l'esprit du temps.)

En Suède, après la réforme du Code pénal de 1779, on n'exécuta plus en moyenne que dix personnes par an, quinze en Prusse sous le règne de Frédéric II. Dans le même pays, quarante-six personnes seulement furent exécutées entre 1775 et 1778, parmi lesquelles deux seulement pour des délits contre la propriété (vols dans la rue).

Pendant la même période, c'est-à-dire de 1775 à 1778, cent quarante-neuf personnes furent pendues rien qu'à Londres et dans le Middlesex ; il n'existe pas de statistiques pour l'ensemble du pays, mais on peut affirmer que le total serait un multiple important de ces chiffres. On possède des statistiques détaillées pour 1785, année au cours de laquelle quatre-vingt-dix-sept personnes furent exécutées à Londres et dans le Middlesex, dont une seule pour meurtre et les quatre-vingt-seize autres pour délits contre la propriété. En moyenne, on commettait donc moins de meurtres en Angleterre que dans d'autres pays.

Cette sévérité particulière à l'Angleterre était principalement due au fait que la pendaison était considérée par le Code sanglant comme une panacée contre toutes les fautes commises, depuis le vol d'un mouchoir jusqu'aux plus graves. Cependant, cette comparaison ne se réfère qu'au XVIIIe siècle. Pendant toute la durée du premier tiers du XIXe, c'est-à-dire entre les guerres napoléoniennes et le commencement du règne de la reine Victoria, le contraste fut encore plus frappant. La plus ancienne démocratie d'Europe, celle qui n'avait jamais eu à souffrir des effets violents de l'invasion étrangère, se distingua désormais, selon les paroles de Sir James Stephen, par « la plus maladroite, la plus insouciante et la plus cruelle législation qui ait jamais déshonoré un pays civilisé ».

Comment une aussi surprenante situation a-t-elle pu exister ? On ne peut répondre à une telle question que dans les grandes lignes, mais cela est important, étant donné les rapports qui existent entre cette situation et celle que nous connaissons encore aujourd'hui.

Les origines du « Code sanglant »

La situation, aux alentours de 1800, ne provenait pas de l'héritage reçu d'un passé obscur, mais de la décision délibérée de tourner le dos aux réalités du jour. Trois causes principales semblent avoir concouru à faire évoluer la loi criminelle anglaise dans un sens opposé à celui qu'elle suivait dans le reste du monde :

a) Le fait que l'Angleterre se trouvait en tête de la révolution industrielle.

b) L'aversion de l'Anglais pour l'autorité, ce qui empêcha la création d'une police efficace.

c) Les particularités du système juridique de la coutume anglaise, particularités qui conduisirent à la naissance d'une classe d'individus à qui était reconnue une autorité semblable à celle des oracles, qui imposèrent le respect des «précédents» et, par là même, interdirent toute concession aux idées nouvelles.

La coutume médiévale prévoyait la peine de mort seulement pour quelques fautes particulièrement graves, telles que le meurtre, la trahison, l'incendie volontaire et le viol. Sous les Tudors et les Stuarts, la loi se fit plus rigoureuse, mais au début du XVIIIe siècle elle ne prévoyait encore la peine capitale que dans une cinquantaine de cas. Le développement du Code sanglant s'accomplit parallèlement à la révolution industrielle. Celle-ci transforma la nation, mit l'Angleterre à la tête du monde occidental, et produisit en même temps un certain nombre de difficultés sociales dont nous sentons encore aujourd'hui les conséquences. Les villes poussaient comme d'horribles champignons sordides, sans administration, sans autorités locales et sans services de sécurité. L'ancien ordre des choses se désintégrait, et personne n'avait une idée claire, ni bien entendu une expérience des moyens qui auraient permis de lutter contre le chaos social naissant. En particulier personne ne savait comment se comporter à l'égard du prolétariat des villes, formé de salariés arrachés à leur vie campagnarde et transformés en une race d'hommes déguenillés et parqués dans des taudis. L'expansion soudaine d'une pauvreté extrême, accompagnée comme il se doit de prostitution, de travail d'enfants, d'ivrognerie et de délinquance, coïncidait avec une accumulation sans précédent de richesses qui se présentaient comme une provocation supplémentaire au crime. Tous les visiteurs étrangers s'accordaient pour dire que jamais on n'avait vu autant de richesses et de splendeurs que dans les demeures et les boutiques de Londres — jamais non plus tant de filous, de voleurs et de brigands. Ce fut le sentiment d'insécurité provoqué par une telle situation qui conduisit à la promulgation, par douzaines, de lois prévoyant la peine de mort.

Ce processus se poursuivit pendant cent ans et ne trouva son terme qu'en 1829, quand Robert Peel créa la police sous sa forme moderne. Si on l'avait fait cent ans plus tôt, une grande honte et une non moins grande horreur auraient été épargnées à notre pays. Paradoxalement, c'est l'amour de la liberté qui a empêché l'Anglais d'agir ainsi : il craignait qu'une force de police régulière, une fois instituée, ne fût utilisée pour limiter ses libertés individuelles et politiques. C'est-à-dire qu'ayant à choisir entre le flic et le bourreau, l'Angleterre se décida pour le bourreau. Celui-ci était une figure familière, celui-là une nouveauté inventée par les étrangers, et dont il valait mieux ne pas faire l'expérience. Si je parle ainsi de toutes ces bizarreries, ce n'est pas pour le plaisir de satisfaire une vaine curiosité, mais parce qu'il s'agit de questions qui nous concernent personnellement. Le dernier argument des défenseurs de la peine de mort est précisément celui-là même qui fut à l'origine du désastre : si la pendaison est abolie, alors les policiers devront être armés pour lutter contre des criminels qui ne craindront plus rien. Nous verrons par la suite que dans certains pays où la peine de mort a été abolie la police était armée aussi bien avant qu'après l'abolition, que dans d'autres, elle ne

l'était ni avant ni après, et qu'il n'y a, par conséquent, aucune raison de croire qu'il serait nécessaire de changer quelque chose sur ce point dans
notre pays. Mais ce qui nous intéresse ici, une fois
de plus, c'est de constater le pouvoir qu'exerce sur
nous, sans que nous en soyons conscients, la tradition : jusqu'à ce jour, l'idée de confier une arme à
un agent de police révolte davantage la sensibilité
d'un Anglais que le maintien de la pendaison.

Cette sorte de législation d'urgence, promulguée
au xviiie siècle dans un sentiment qui ressemblait
à celui de la panique, est bien illustrée par deux
cas. En 1772, les propriétaires du Hampshire furent
inquiétés par une bande de voleurs qui avaient pris
l'habitude de dissimuler leurs visages, afin de n'être
pas reconnus. Le Parlement promulgua une loi rendant passible de mort toute personne « armée ou
déguisée » qui se rendrait coupable de « violences ou
de dommages contre les personnes ou les biens des
sujets de Sa Majesté ». La bande de voleurs disparut
du Hampshire, mais la loi demeura. Conçue pour
faire face à une situation particulière, et pour une
durée de trois ans, elle resta en vigueur pendant
cent un ans, jusqu'en 1873. Et pendant tout ce
temps, son application s'étendit. Elle était, en effet,
rédigée en termes si vagues que le juge pouvait l'appliquer à des cas très différents. Et, chaque fois, il
créait ainsi un précédent sur lequel on allait ensuite
fonder de nouvelles condamnations. C'est ainsi qu'on
en arriva à prévoir trois cent cinquante cas où la
peine de mort s'appliquait.

On put assister à un pullulement identique dans
l'application de la loi sur « les larcins dans les maisons d'habitation et dans les boutiques ». À l'origine,
elle ne s'appliquait qu'au brigandage, mais elle finit
par s'appliquer à tout vol d'un objet valant plus de

douze pence, sans même que fût retenue la notion
d'effraction qui avait été prévue par le texte primitif.

J'ai essayé de dépeindre les origines de cette folie
qui étendit l'ombre de la potence et de l'échafaud
sur tous les villages, toutes les forêts et tous les
bourgs du pays. Mais la folie et la panique ne durèrent qu'un court espace de temps. Cela se passait,
en effet, à l'époque où les enseignements de Beccaria, de Voltaire et de Montesquieu trouvaient partout un sol fertile, excepté en Angleterre. C'était
l'époque où, en Angleterre même, Jeremy Bentham,
les Mill, Eden et Howard, Romilly, Selborne et tant
d'autres hommes éclairés, conscients du déshonneur qui frappait leur pays, le combattaient de tout
le pouvoir de leur talent. Quelle était donc la force
qui s'opposait à tout ce qu'on pouvait tenter contre
cette folie, à toute réforme, et qui demeura victo-
rieuse jusqu'au milieu du xixe siècle ? La réponse est
simple : c'étaient les magistrats anglais.

Les oracles

Le système judiciaire anglais se fonde, non sur un
code, mais sur l'application de la « Common Law »,
c'est-à-dire de la coutume, autrement dit, sur des
usages. La validité et le domaine d'application de ces
usages sont laissés à la décision des juges, « dépositaires de la loi, oracles vivants, qui doivent décider
dans tous les cas douteux, et qui sont obligés par ser-
ment à décider selon la loi du pays » (*Encyclopédie
britannique*, article « Common Law »). Leurs jugements sont enregistrés pour servir ensuite de précédents.

Les bienfaits de la coutume, considérée en tant

que rempart de la liberté personnelle et politique, ont été considérables et forment une part essentielle de l'histoire anglaise. L'un de ces avantages fut que le refus d'appliquer le droit romain ou le droit canonique évita aux Anglais de jamais admettre la torture comme un moyen d'obtenir des aveux. L'écartèlement n'était qu'une forme aggravée d'exécution et non un procédé d'instruction. La procédure, dans les pays du continent, était *inquisitoriale*, la procédure anglaise était *accusatoire*. C'est pourquoi la supériorité de la législation anglaise, en ce qu'elle garantissait à l'accusé un procès loyal, était reconnue dans tous les pays.

Mais de tels bienfaits étaient payés cher. L'aversion à l'égard du pouvoir de la police eut pour contrepartie la puissance du bourreau. L'aversion à l'égard de la loi écrite laissait la législation anglaise à la merci des oracles en perruques qui, du fait même que, seul, le précédent les guidait dans leurs jugements, ne pouvaient avoir qu'un esprit tourné vers le passé. Ils n'administraient pas seulement la loi, ils la faisaient.

Ce furent les juges qui firent en sorte que la loi contre les bandits masqués finît par s'appliquer à trois cent cinquante crimes punis de mort. Sous leur influence, le Parlement vota de plus en plus de lois prévoyant l'application de la peine capitale, et ils purent étendre les applications de ces lois à leur aise. Ce furent les juges encore qui combattirent furieusement contre toute tentative pour abolir ces lois.

En 1813, alors que la «loi Romilly», qui prévoyait l'abrogation de la peine de mort pour le délit de vol aux devantures, venait d'être repoussée pour la troisième fois par la Chambre des lords, le Lord Chief Justice d'alors, Lord Wynford, exposa avec une franchise sans exemple la position des juges en la matière. «Nous ne voulons pas voir changer les lois d'Angleterre», déclara-t-il. Celle que l'on voulait abroger avait été votée du temps de Cromwell «dans la période la plus glorieuse de notre histoire, et il n'y avait aucune raison pour se hasarder dans des expériences». Il déclara qu'il voterait pourtant pour l'abrogation, mais seulement s'il pouvait être prouvé qu'un seul individu avait injustement souffert à cause de la loi, alors que l'humanité des juges était proverbiale. Et cela, au temps où les enfants de sept ans étaient pendus en public.

Mais il faut dire que l'argument : «Nous ne voulons pas voir changer les lois anglaises», n'a été invoqué que contre les adoucissements proposés, jamais contre les aggravations.

Il est inutile d'ajouter qu'il a toujours existé des juges humains qui, de concert avec les jurés et même avec le ministère public, ont cherché à épargner à de pauvres bougres les sévérités d'une loi évidemment excessive. Mais en tant que corps, les juges anglais ont exercé leur influence, tant à la Chambre des lords qu'à la Chambre des communes, et aussi par leur respect du «précédent», dans le sens d'une sévérité maximale et contre toute réforme humanitaire.

La révolte de l'opinion publique

La lutte décisive pour l'abrogation de cet absurde et honteux Code sanglant eut lieu entre 1808 — quand Romilly présenta son premier projet de réforme — et 1837, date de l'accession au trône de la reine Victoria. Au début de cette guerre judiciaire de Trente Ans, le nombre de dispositions légales prévoyant l'application de la peine de mort était de deux cent vingt ; à son terme, il n'était plus que de quinze.

Pendant sa première phase, le mouvement de réforme fut conduit par Samuel Romilly, sans grand succès. Il eut comme adversaires principaux le Chief Justice Lord Ellenborough et le Chancelier Lord Eldon, l'un et l'autre soutenus, à la Chambre des lords, par les ministres, les évêques et quelques nobles fossiles qui opposèrent aux projets de réforme l'éternel argument : seule la peine de mort a une valeur d'exemplarité, toute expérience dans le sens de l'abolition entraînerait un accroissement de la criminalité, et d'ailleurs heurterait les sentiments du public.

En fait, Romilly ne vécut même pas assez pour voir abolir la loi prévoyant la peine de mort pour les vols, dans les boutiques, d'objets d'une valeur supérieure à douze pence. Il réussit pourtant à faire abroger trois dispositions prévoyant la peine de mort pour les voleurs à la tire, les soldats et les marins se déplaçant sans autorisation et les « vols d'étoffes sur les terrains de blanchiment ». Vaincu, Romilly se suicida quelques jours après la mort de sa femme en novembre 1818. Il avait soixante et un ans. C'était un des plus grands Anglais de son temps, et son nom est injustement oublié. Son adversaire, Lord Ellenborough, lui survécut à peine un mois. Les circonstances de sa mort furent aussi symboliques que celles de la mort de Romilly. En 1817, William Hone, un compagnon de Cruickshank et de Charles Lamb, fut jugé pour blasphème, devant Ellenborough. « Ellenborough conduisit les débats de manière à mener le jury à condamner les inculpés. Aussi leur acquittement est-il généralement considéré comme ayant hâté sa mort » (*Encyclopédie britannique*).

Au moment de la mort de Romilly, le triomphe

futur du mouvement réformiste était déjà assuré. La loi qu'il avait proposée abolissant la peine de mort pour les «vols d'étoffes sur les terrains de blanchiment» fut votée sans opposition. Cent cinquante propriétaires d'entreprises de blanchiment et d'impression sur coton avaient adressé à la Chambre des communes deux remarquables pétitions, demandant que les vols effectués au préjudice de leurs entreprises ne fussent plus passibles de la peine capitale, les jurés préférant déclarer les voleurs innocents plutôt que de les condamner à mort. Ces pétitions sont de 1811. Avec elles commence une évolution qui allait être surprenante. En effet, elles furent suivies par un flot de pétitions du même genre, qui émanaient notamment de la Corporation de Londres, des banquiers de deux cent quatorze villes et bourgs, des jurés de Londres. Toutes allaient dans le même sens : elles protestaient contre la sévérité de la loi, qui rendait impossible son application, et par là même lui faisait perdre toute valeur de menace. Elles demandaient, dans l'intérêt de l'ordre public, que des peines plus douces fussent prévues.

Bientôt les pupitres de la Chambre des communes grincèrent sous le poids de pétitions identiques : en 1819, il y en eut plus de douze mille. Du coup, le Parlement fut forcé d'agir ; un an après la mort de Romilly et d'Ellenborough, le «Select Committee» de 1819 était désigné. Le motif avoué de cette décision était «le verdict de l'opinion publique qui avait prononcé, de façon non équivoque, une condamnation indignée contre les lois pénales», telles qu'elles existaient alors.

Le rapport du Comité est un document remarquable, contenant pour la première fois une statistique des crimes et des peines en Angleterre, ainsi que des modifications apportées aux dispositions de la loi pénale au cours des trois siècles précédents.

Il est caractéristique que les membres du Comité refusèrent d'entendre les juges. Les témoins qu'ils firent comparaître appartenaient aux milieux les plus divers de la société : boutiquiers et commerçants, marchands et manufacturiers, banquiers et agents d'assurances, aumôniers et gardiens de prison. Ils refusèrent d'entendre les juges sous le prétexte subtil «qu'ils ne pouvaient convenablement censurer les mesures qu'ils seraient obligés ensuite d'appliquer et qu'ils ne pouvaient par conséquent être considérés comme libres d'exposer une opinion impartiale». On ajoutait que «comme ils ne pouvaient connaître les poursuites criminelles que de l'extérieur, après qu'elles avaient été accomplies jusqu'à la comparution devant le tribunal, les juges se trouvaient placés, autant par leur état que par leurs devoirs, à une grande distance». Plus d'un siècle plus tard, le Comité de 1930 refusa à son tour de demander leur opinion aux juges.

Les recommandations du Comité de 1819 furent modérées : maintien de la peine de mort pour certains délits contre la propriété, rejet des lois désuètes, amendement des autres. Mais ces propositions furent pourtant rejetées par les oracles. Lord Eldon s'opposa aux principales modifications proposées, et il fut suivi. En 1820, après la publication du rapport du Comité, la fameuse proposition de Romilly concernant l'abolition de la peine de mort pour les vols dans les boutiques fut présentée pour la sixième fois et, pour la sixième fois, retirée quand les Lords représentant les magistrats déclarèrent qu'ils s'y opposeraient. Douze ans plus tard, le successeur d'Ellenborough, le Chief Justice Lord Tenterden, combattit vaillamment, à son tour, une proposition d'abrogation de la peine de mort contre les voleurs de moutons et de chevaux, déclarant une fois de plus qu'il n'y avait dans notre pays «rien qui pût remplacer la peine de mort».

La résistance commença à faiblir seulement avec l'arrivée de Peel au ministère de l'Intérieur. Il créa, en 1829, les premières forces de police modernes. Dix ans plus tard, les crimes passibles de la peine de mort étaient enfin ramenés à quinze et, en 1861, à quatre: meurtre, trahison, incendie volontaire dans les docks et piraterie. C'est là que nous en sommes aujourd'hui.

D'Ellenborough à Goddard

Au cours du débat sur la peine de mort devant la Chambre des lords, en 1948, les successeurs d'Ellenborough et d'Eldon, le Lord Chancelier Jowitt et le Lord Chief Justice Goddard firent quelques remarques intéressantes sur le sujet que nous traitons ici. Lord Goddard déclara:

On reproche habituellement aux juges — et je suis convaincu que ce reproche est sans fondement — d'être... c'est le mot qu'on emploie le plus souvent... réactionnaires, et aussi d'être toujours partisans de la plus grande sévérité. Ce n'est pas exact. Il me semble que cette idée vient du fait historique qu'un de mes plus remarquables prédécesseurs, Lord Ellenborough, était en son temps ardemment opposé aux projets de réforme qui tendaient à abolir la peine de mort pour de nombreux crimes auxquels elle s'appliquait alors. J'ai l'impression que, dans une large mesure, il exprimait l'opinion publique de son temps, et je crois qu'on n'attache pas assez d'importance à ses avis: en fin de compte, s'il se trompait, il était en bonne compagnie. Si vous vous reportez aux «Débats parlementaires » de ce temps-là, vous constaterez notamment que presque tous les Lords ecclésiastiques étaient d'accord avec lui.

Lord Goddard, en 1948, plaidait en faveur du maintien de la peine de mort en cas de meurtre, en se fondant notamment sur l'affirmation que l'opinion publique était en faveur de ce maintien, et le passage dans lequel il se réfère à son « remarquable prédécesseur » implique que Lord Ellenborough n'avait pas moins raison de se déclarer en faveur de l'application de la peine de mort pour les délits de vols, en raison de l'adhésion de l'opinion publique à de telles mesures. La vérité historique se situe, comme nous l'avons vu, à l'opposé. Non seulement Ellenborough n'exprimait pas l'opinion publique de son temps, mais c'est l'opinion publique de son temps qui consacra sa défaite. L'opinion publique s'exprimait dans le refus, de la part des jurys, de déclarer les accusés coupables, ce qui rendit caduc le Code sanglant. Elle s'exprimait aussi dans le flot de pétitions qui émanaient tant des fabricants de calicot que des jurés, des banquiers que de la Corporation de Londres. Elle s'exprimait enfin par l'obstination de la Chambre des communes, qui votait abrogation sur abrogation, tandis que la Chambre des lords refusait toujours, comme elle refusa, en 1948, la loi d'abrogation votée par les Communes.

« *Pendre n'est pas suffisant* »

L'attitude des juges, en tant que corps, à l'égard des formes les plus atroces de la peine de mort, fut, elle aussi, parfaitement logique. Sir Edward Coke (1552-1634) a peut-être été le plus grand juriste anglais de l'histoire. Par son fameux adage qu'aucune proclamation royale ne peut changer la loi, par sa défense de la coutume contre le roi, l'Église et l'Amirauté, il a fait plus que n'importe qui pour donner à la procédure britannique son indépendance et sa loyauté. Mais, en même temps, il a fait en sorte que son nom restât pour toujours associé avec «le Pieux Massacre» par la roue et la corde, dont il défendit le maintien à coups de citations bibliques.

Il ne manqua pas non plus d'expliquer que ces diverses formes d'exécution prouvaient «l'admirable clémence et modération du roi», puisqu'elles excluaient toutes tortures... autres que celle qui consistait à écarteler vivant le traître.

Une telle barbarie se poursuivit, dans des formes tant soit peu atténuées, jusqu'au XIXᵉ siècle. Ce fut encore Romilly qui y mit fin. Mais quand, pour la première fois, il proposa son «Projet de loi pour la modification des peines appliquées à la Haute Trahison», il fut accusé par les juristes de la Couronne de vouloir abattre les remparts de la Constitution, et l'apologie de l'écartèlement qu'avait prononcée Coke fut citée à cette occasion. La proposition fut rejetée. L'Attorney général déclara au cours du débat qu'il ne voterait pas en faveur de tels châtiments, si on en proposait la création, mais qu'il était opposé à leur amodiation, du fait qu'ils avaient la consécration d'une tradition séculaire. Romilly nota alors dans ses Mémoires :

Ainsi... la proposition est rejetée, et les ministres conservent la gloire d'avoir préservé l'intégrité de la loi anglaise, selon laquelle il est dit que le cœur et les entrailles d'un homme... seront arrachés de son corps encore vivant.

Une année plus tard (1814), il proposa de nouveau son projet. À ce moment, Lord Ellenborough et Lord Eldon comprirent que le courant était contre eux. Mais ils réussirent à faire voter un amendement aux termes duquel était maintenue la peine qui consistait à couper en quartiers le corps du criminel. Étant donné que cela ne devait plus être fait que sur un cadavre, Romilly accepta ce qu'on peut considérer comme un compromis raisonnable avec les tenants de la tradition. Dans ces conditions, la proposition fut votée.

Dans le cas des femmes accusées de trahison, l'écartèlement, considéré comme choquant la modestie des spectateurs, avait été remplacé par le châtiment du bûcher. Cette forme d'exécution ne fut abrogée qu'en 1790, malgré la vigoureuse opposition du chancelier, Lord Loughborough, qui défendit cette procédure en se fondant sur sa grande valeur d'exemplarité.

Parce que le spectacle de ce châtiment s'accompagne de circonstances particulièrement horribles et susceptibles de faire sur les spectateurs une plus forte impression que la simple pendaison. Mais ses effets sont du même ordre et ne comportent pas, pour le patient, de souffrances plus grandes: le criminel est toujours étranglé avant qu'on laisse les flammes approcher de son corps.

Cela était évidemment inexact: on cite, en effet, de nombreux cas où le bourreau, ayant eu les mains brûlées, ne put mener à bonne fin la première partie de sa tâche, c'est-à-dire la strangulation. Je ne mentionne pas de tels détails pour le plaisir d'une évocation macabre, mais parce que la défense d'un mode d'exécution aussi sauvage, fondé sur le fait que «ça ne fait pas vraiment mal», est un des *leit-*

motive qu'on entend encore de nos jours, alors qu'il est enjoint aux directeurs des prisons de déclarer que la pendaison a été «rapide et expéditive, et qu'elle s'est terminée sans incident», en dépit des faits. Blackstone, la plus haute autorité juridique après Coke, a employé le même argument pour défendre l'écartèlement :

> On cite peu d'exemples, écrit-il, et il ne s'agit que de faits accidentels ou provenant d'une négligence, de personnes ayant été écartelées avant d'avoir été auparavant privées de toute conscience.

Le *pilori* n'a été aboli qu'en 1816. L'année précédente, Ellenborough s'opposait à son abolition en arguant qu'il n'existait pas de châtiment aussi efficace par quoi on pût le remplacer ; en outre, c'était une peine en usage depuis 1296 «et particulièrement adaptée aux cas de parjures et de fraudes». En ce qui concerne le *bannissement* (en Australie), l'attitude des juges fut particulièrement intéressante. Chaque fois que le bannissement à vie fut proposé comme substitut de la peine de mort, ils le trouvèrent trop doux. C'est ainsi qu'Ellenborough déclara en 1810 que le bannissement à vie était considéré par certains prisonniers comme «une cure d'air estivale, grâce au plaisir d'un voyage vers des climats plus chauds». En 1832, Lord Wynford déclara que cette peine «ne faisait plus peur à personne. On aurait plutôt dû la considérer comme un encouragement au crime que comme un châtiment capable d'en écarter les criminels éventuels». Mais quand un mouvement d'opinion se dessina en faveur de la suppression du bannissement, le comte Grey, ancien Chief Justice, crut bon d'informer la Chambre des lords que «tous les juges intéressés à l'administra-

tion de la loi pénale, excepté un... étaient d'accord
pour dire qu'il ne serait pas prudent d'abandonner
cette forme de châtiment qu'était le bannissement».
Les mêmes arguments contradictoires devaient être
employés au cours du débat de 1948 devant la
Chambre des lords contre l'emprisonnement à vie,
proposé pour remplacer la peine de mort : tantôt on
déclarait l'emprisonnement à vie trop cruel, tantôt
trop doux, et peut-être l'un et l'autre.

Le dernier des châtiments corporels particulièrement en faveur auprès des oracles est le *fouet*. En
1938, un «Comité d'enquête sur les peines corporelles», le comité Atkins, était désigné, qui affirma
notamment dans son rapport :

> Nous ne sommes pas convaincus que les peines corpo-
> relles ont un effet exceptionnel, en ce qui concerne leur
> valeur d'exemplarité, ainsi que le prétendent ceux qui se
> déclarent en faveur de leur application à l'encontre des
> délinquants adultes.

Il déclarait également que les magistrats du ministère public étaient non seulement en faveur du maintien, mais de l'extension des peines corporelles.

Comme il arrive toujours quand de telles enquêtes
sont ordonnées pour apaiser des mouvements d'opinion, ce rapport fut étouffé, et rien n'en sortit pendant
dix ans. En 1948, la proposition de loi abolissant les
peines corporelles fut votée, sans amendements, par
la Chambre des communes. Mais quand elle vint
en discussion devant la Chambre des lords, le Lord
Chief Justice proposa d'abolir seulement le chat à
neuf queues et de conserver le fouet ordinaire. Les
Lords s'inclinèrent. Ils avaient écouté avec respect le
discours du Lord Chief Justice sur les bienfaits psy-
chologiques du fouet «administré par un gardien

chef qui connaît son métier». En effet, c'est la méthode la plus efficace pour enlever au condamné tout espoir d'amendement, en lui infligeant un châtiment dégradant. Si tout va bien, cela peut aussi provoquer dans la prison un soulèvement qui conduira à de nouveaux coups de fouet.

La perspicacité et le flair psychologique du Lord Chief Justice, en ce qui concerne les effets des châtiments corporels, ont pu être contrôlés à l'occasion de l'affaire suivante. Le 4 décembre 1952, deux frères, âgés de dix-sept et quatorze ans, furent conduits devant lui, accusés de vol accompagné de violences. Tous deux avaient déjà eu des démêlés avec la justice et avaient été condamnés trois fois avec sursis. Lord Goddard envoya l'aîné en prison et confia le second à une maison de redressement. Il commenta l'affaire en ces termes :

Une volée de verges leur aurait fait du bien. Ce dont ils ont besoin, c'est que quelqu'un leur flanque une bonne rossée pour les empêcher de recommencer. Mais je suppose qu'on les a élevés comme deux enfants gâtés et qu'ils ont l'habitude qu'on les borde tous les soirs dans leur lit.

Ces commentaires furent largement reproduits dans la presse. Une ligue philanthropique enquêta sur ce cas et découvrit que le père des deux garçons était un ancien sergent-major des grenadiers de la garde, ferme partisan des châtiments corporels. Il avait souvent essayé de ramener son fils Donald à de meilleurs sentiments par de fréquentes rossées. Et quand le garçon, après une condamnation avec sursis, avait été confié à un pensionnat, il s'était déplacé pour aller conseiller aux gardiens de son fils de battre celui-ci.

Les juges et les droits de l'accusé

Les prisonniers sous le coup d'une accusation entraînant la peine de mort ne furent autorisés à être défendus par un avocat qu'à partir de 1836. Cette année-là, la proposition de loi autorisant ces prisonniers à recevoir l'assistance d'un avocat fut repoussée deux fois avant d'être en fin de compte votée.

Un individu accusé d'un crime passible de la peine de mort ne fut autorisé qu'à partir de 1898 à déposer lui-même en sa propre faveur, au cours du procès. Il fallut quinze ans pour faire voter la loi qui l'y autorisa. La plupart des Lords magistrats la combattirent, et le Lord Chief Justice Collins déclara qu'il s'agissait là d'un «véritable méfait» : l'occasion donnée ainsi au juge de poser directement des questions à l'accusé «devait saper la confiance que celui-ci peut avoir dans l'impartialité absolue du juge». Cet argument était exactement l'opposé de l'objection faite à la proposition d'autoriser ces accusés à être défendus ; on avait, en effet, prétendu qu'un défenseur était inutile, le juge n'étant pas un arbitre impartial, mais «le meilleur ami de l'accusé».

Les juges montrèrent la même détermination quand ils s'opposèrent à la création d'une cour d'appel criminelle, dont ils réussirent à retarder l'installation pendant soixante-dix ans. Pendant ce temps, la question ne vint pas moins de vingt-huit fois devant le Parlement.

Avant que cette cour d'appel eût été créée, en 1907, il n'existait aucune instance devant laquelle un homme injustement condamné à mort pût se pourvoir. Son seul espoir résidait dans la clémence royale. La Commission royale de 1866 avait étudié la question, mais les quatre juges qui avaient déposé devant elle s'étaient unanimement opposés à une telle mesure, déclarant qu'elle aurait pour seul résultat de «tracasser les plaignants», qu'une cour d'appel «n'est pas une chose naturelle» et que «les personnes ne sont pas accusées, en Angleterre, autrement, à notre avis, que sur des preuves parfaitement claires».

Quarante ans plus tard, au cours du débat de 1907, le Lord Chief Justice, Lord Alverstone, s'opposa encore une fois à ce qu'il considérait comme une dangereuse innovation, sous le prétexte de «sa profonde conviction que la modification proposée aurait pour résultat de détruire la responsabilité des jurys» et parce qu'il s'agissait d'«essayer pour la première fois une mesure pareille dans la loi criminelle, ce qui comportait des dangers graves pour les personnes innocentes». Le Lord Chancelier, Lord Halsbury, l'appuya en ces termes :

Vous devez vous souvenir que vous avez affaire ici à des experts qui ont une longue expérience de ce dont ils parlent... Je ne comprends pas pourquoi la législation du pays, en ce qui concerne ce problème particulièrement grave qu'est la loi pénale, pourrait être changée d'une manière ou d'une autre, sous prétexte que des personnes parfaitement irresponsables trouvent bon de prétendre qu'elles ont en cette matière des lumières que n'auraient pas les juges de Sa Majesté.

Les experts prophétisèrent que les cours d'appel devraient juger au moins cinq mille affaires par an et qu'elles coûteraient au contribuable des «sommes astronomiques». Ils se trompaient, comme d'habitude. Le plus grand nombre d'appels fut de sept cent dix (en 1910); et les sommes astronomiques s'élevèrent à treize mille livres par an.

La doctrine du maximum de sévérité

Quand Lord Goddard déclara devant les membres de la Commission royale que, pour lui, il fallait faire bénéficier du sursis un plus petit nombre de personnes et qu'il serait «particulièrement désastreux» que toute demande de grâce présentée par le jury entraînât obligatoirement une décision conforme du ministre de l'Intérieur, il n'agissait pas en raison d'une cruauté particulière. Mais il se trouvait affronté au dilemme qui est presque aussi vieux que la peine de mort elle-même, et il lui donnait la même réponse que tous les défenseurs de la peine capitale furent conduits à exprimer, chaque fois qu'ils se trouvèrent devant lui. Le dilemme est le suivant : quand les progrès sociaux sont en avance sur la loi, de telle manière que les peines proposées paraissent à l'opinion publique disproportionnées dans leur sévérité, les jurys commencent à hésiter avant de prononcer un verdict de culpabilité. Le sursis et la grâce, au lieu d'être des manifestations exceptionnelles de pitié, deviennent la règle. Si bien qu'une faible proportion de sentences sont exécutées et que la menace qu'elles représentent perd de son pouvoir. Il n'y a que deux manières de s'en sortir : ou bien rendre la loi conforme au sentiment de l'époque, et, en diminuant sa sévérité, faire en sorte que «le châtiment soit en rapport avec le crime», ou bien augmenter à la fois la terreur et la menace, ainsi que la rigueur dans l'application de la loi.

La première solution a été formulée dès 1764 par l'humaniste et réformateur italien Cesare Beccaria, et elle devint le principe qui guida la réforme judiciaire de l'Europe, durant le Siècle des Lumières. Beccaria enseignait que le seul objet du châtiment était la protection de la société, et que cette protection ne pouvait être obtenue par la terreur, car dans la proportion même où le châtiment devient plus cruel, «les esprits des hommes s'endurcissent, s'ajustent d'eux-mêmes, comme des fluides, au niveau des objets qui les entourent». La terreur obéit à sa propre loi de déperdition de l'énergie: à une époque où sont en usage des châtiments excessifs, les individus ne sont pas plus effrayés par la potence que, sous un régime plus humain, ils ne le sont par la prison. En outre, la barbarie légale devient la barbarie commune, «le même esprit de férocité qui conduit la main du législateur conduit celle du parricide ou de l'assassin».

Beccaria comprit que «la sévérité donne naissance à l'impunité», du fait que les hommes hésitent à infliger à leurs semblables les châtiments excessifs prévus par des lois inhumaines. Si bien que des châtiments excessifs sont moins efficaces pour prévenir le crime que des châtiments modérés, étant donné que ceux-ci sont infligés sans délai et sans hésitation. Une législation trop sévère n'est donc pas seulement moralement condamnable: elle va à l'encontre de son propre but. Tandis qu'une législation modérée, comportant une échelle de peines en rapport avec les fautes qu'elle veut punir, quand elle est administrée rapidement et calmement, est à la fois plus humaine et plus efficace.

Ce principe, on pourrait l'intituler le principe «du châtiment minimum efficace». J'ai déjà mentionné l'influence que l'enseignement de Beccaria eut sur toute l'Europe, de la Russie à l'Italie et de la Suède à la France. Il n'y eut peut-être aucun humaniste, depuis Érasme, qui, sans se rattacher à un mouvement politique ou religieux, eût une si profonde action sur la pensée européenne.

On aurait pu croire que l'Angleterre, forte de sa grande tradition libérale et démocratique, serait le pays le plus apte à recevoir la nouvelle doctrine. Pourtant, pendant plus d'un siècle encore, l'Angleterre nagea à contre-courant, et elle le fait encore. J'ai indiqué certaines raisons de cet état de choses : révolution industrielle, méfiance devant l'autorité de la police. Mais la principale fut le monopole reconnu à un «quatrième pouvoir» en matière de législation. Partout ailleurs, aucun monopole de ce genre n'existait : les lois étaient codifiées, les juges les appliquaient, bien ou mal, mais ils n'avaient pas le pouvoir de les faire. La législation pénale, sur le continent, reflétait les courants sociaux du temps. Seule l'Angleterre se laissait conduire par une classe restreinte de prétendus experts qui, comme les alchimistes médiévaux, vivaient retirés dans un monde mystérieux fait de formules secrètes, leur esprit tourné vers le passé, imperméable aux changements extérieurs, ignorant de tout ce qui pouvait se construire hors de leur monde fermé.

Ce n'était pas un hasard s'ils s'opposaient à toute tentative pour modifier la loi, menaçant le Parlement en affirmant que «toute trace de propriété sera effacée par les voleurs ainsi encouragés»! Ils avaient, d'instinct, la conviction que s'ils admettaient un seul changement, sur un point de détail, cela reviendrait à reconnaître que la loi n'était pas fixée de toute éternité, mais au contraire sujette à modifications. Et alors, tout leur univers rigide et artificiel risquait de s'écrouler. L'évolution des conditions sociales conduisait à des crises répétées de la législation criminelle, qui ne pouvaient être résolues que de deux manières : ou bien il fallait en adoucir les rigueurs, ou bien il fallait en accroître la terreur, ajoutant aux lois prévoyant la peine de mort d'autres lois pré-

voyant la peine de mort pour de nouveaux crimes.
C'est pour le second terme de l'alternative qu'ils optè-
rent, avec les résultats que nous avons pu constater.

La terreur de la Révolution française garde dans
le souvenir des peuples la grandeur d'un chapitre
tragique, mais essentiel, de l'histoire. La terreur du
Code sanglant était gratuite et sans objet, étrangère
au caractère de la nation, et imposée au peuple non
par des jacobins fanatiques, mais par la conspira-
tion d'une classe de fossiles à perruques. Ils citaient
la Bible pour défendre l'écartèlement, puis ils se
citaient mutuellement leurs propres citations et
devenaient ainsi de plus en plus étrangers à toute
réalité. Les avoués et les avocats, les aumôniers des
prisons et les geôliers connaissaient les criminels en
tant que personnes, et ils savaient que c'étaient des
êtres humains. Mais tous les grands oracles nourris-
saient une croyance aveugle dans la potence en tant
que seul rempart contre le crime. Pourtant, les criminels qu'ils avaient l'occasion de rencontrer devant
leur tribunal administraient au contraire la preuve
que la potence ne les avait pas éloignés du crime. Ils
ressemblaient à des médecins qui, pour justifier leur
thérapeutique préférée, citeraient précisément le
cas de malades qu'ils n'auraient pas guéris. Néanmoins, ils devaient continuer à croire en la magie
de cette valeur d'exemplarité, puisque s'ils avaient
renoncé à y croire ils auraient été condamnés
par leur propre conscience, au nom de ceux qu'ils
avaient condamnés pour rien.

Tous se conduisaient ainsi de façon inhumaine
parce que, bien que se faisant passer pour experts,
ils ne connaissaient que peu de chose sur la nature
humaine et sur les mobiles auxquels obéit un criminel. Victimes de leur déformation profession-
nelle, ignorant tout des forces de l'hérédité, des

contraintes du milieu social, hostiles, d'ailleurs, à toute explication psychologique ou sociologique, ils ne considéraient le criminel que comme un monstre de dépravation qui ne pouvait être amendé et qui devait être détruit. Leurs protestations ridicules contre tout relâchement apporté aux lois de terreur ne venaient que d'une peur irrationnelle et instinctive. Du point de vue psychiatrique, les horreurs du Code sanglant, les pendaisons d'enfants, les saturnales auxquelles donnaient lieu les exécutions publiques n'étaient que les symptômes d'une maladie connue sous le nom d'anxiété hystérique. Mais les psychiatres, comme nous le verrons, sont considérés par les oracles comme des ennemis héréditaires, non seulement parce qu'ils comprennent ce qui se passe dans l'esprit de l'accusé, mais surtout peut-être parce qu'ils comprennent ce qui se passe dans l'esprit du juge.

Dans sa *Vie des Chiefs Justice*, Lord Campbell cite les paroles d'un juge qui, ayant condamné à mort un homme accusé de s'être servi d'un faux billet d'une livre, l'exhorta comme suit à se préparer au voyage qui devait le conduire dans un monde meilleur :

J'ai la conviction que, grâce aux mérites et à la médiation de notre Rédempteur, là vous connaîtrez un pardon que le respect dû au crédit de la monnaie nationale vous interdit d'espérer ici-bas.

Ces mots évoquent avec précision l'oracle du début du XIXe siècle : la voix nasale encombrée de mucosités, la perruque en tire-bouchon couverte du napperon ridicule et qui donne à celui qui le porte un tel sentiment de supériorité qu'il en oublie ses ennuis de santé. Mettez le tout ensemble et vous obtiendrez une image parfaite de la majesté terrifiante de la Loi.

Aux gendarmes et aux voleurs

Devant un tribunal d'historiens impartiaux, les juges du Banc du Roi seraient condamnés pour avoir causé à leur pays ce déshonneur et cette humiliation. Mais il faut dire que, en dépit de la puissance exorbitante que détient «le quatrième pouvoir», ils n'auraient pu faire tant de mal sans l'aide des puissances les plus ignorantes et les plus réactionnaires de la nation. Et, dans le sein de ces puissances, se distinguèrent un certain nombre de sanguinaires princes de l'Église, comme l'archidiacre Paley qui enseignait que les criminels étaient incorrigibles, jusqu'aux Lords ecclésiastiques qui, en 1810, appuyèrent Ellenborough et Eldon, comme encore l'évêque de Truro qui, lors du débat à la Chambre des lords en 1948, suggéra d'étendre l'application de la peine de mort, plutôt que de l'abolir. Ce type d'illustres ecclésiastiques a toujours montré le plus grand respect pour la sagesse des seigneurs séculiers de la loi.

Plus récemment, les forces de police sont venues renforcer puissamment les adversaires de l'abolition de la peine capitale. La police tient la première ligne dans la guerre contre les criminels. Elle doit affronter des risques constants et cela moyennant un salaire qui n'est pas en proportion : elle doit montrer beaucoup de sang-froid devant le danger et devant de pénibles provocations. Dans ces conditions elle pense naturellement que tout adoucissement apporté à la loi aura pour effet de rendre sa tâche plus pénible. Si l'on se réfère par conséquent à l'opinion de la police, prise en tant que corps, on s'aperçoit qu'elle consiste en une croyance aveugle dans l'efficacité de la peine de mort, aussi bien en ce qui concerne sa valeur d'exemplarité que de représailles. Elle y croit comme les brasseurs pensent que la bière est bonne pour la santé, comme les bouilleurs de cru sont persuadés qu'un petit verre n'a jamais fait de mal à personne, et elle le pense, comme eux, en dépit des arguments et des faits.

Il y a cent ans, en juillet 1856, un comité fut désigné pour enquêter sur «les procédés actuellement utilisés pour exécuter les condamnations à mort», le principal objet de l'enquête portant sur le point de savoir si les exécutions devaient être publiques. Parmi les témoins convoqués, on entendit un inspecteur de police en retraite, John Haynes. Son témoignage mérite d'être cité intégralement, en raison notamment des contradictions qu'il comporte, contradictions qui sont instructives si l'on veut connaître ce genre de mentalité.

Q. — Voulez-vous exposer au Comité quelle est votre impression en ce qui concerne les effets produits par les procédés actuellement utilisés pour appliquer la peine de mort?

R. — Je pense qu'ils ont un excellent effet sur le public en général.

Q. — Voulez-vous avoir l'obligeance d'exposer au Comité quelle sorte d'excellents effets sont produits sur ceux qui assistent à une exécution?

R. — Je pense que cela les détourne de commettre un crime.

Q. — De quelle manière cela les détourne-t-il?

R. — Quelle que soit l'insensibilité de ceux qui assistent à une exécution publique, je pense qu'ils ne peuvent s'empêcher ensuite d'en considérer les effets. Personne n'a envie d'être pendu comme un chien... Mon impression générale est donc que ce spectacle a d'excellents résultats.

Q. — Vous pensez donc qu'il est souhaitable que le public assiste aux exécutions?

R. — Je le pense. Je suis convaincu... que le public, en

général, ne serait pas satisfait si les exécutions n'étaient plus publiques.

Q. — Voulez-vous nous expliquer ce que vous entendez par le mot « satisfait » ? Satisfait de quoi ?

R. — Beaucoup de gens pensent que si les condamnations à mort n'étaient pas exécutées en public, les choses risqueraient de ne pas se passer régulièrement.

Q. — Vous voulez dire qu'on permettrait au condamné d'échapper à la condamnation ?

R. — Oui. Je ne pense pas qu'il soit possible de trouver un moyen pour exécuter les condamnés en secret tout en satisfaisant le public en général.

Q. — Supposez qu'on trouve un moyen pour procéder de cette manière et pour en même temps faire en sorte que le public soit convaincu de la réalité de l'exécution, penseriez-vous, dans ce cas, qu'il vaudrait mieux procéder en secret ?

R. — En ce qui me concerne personnellement, mon opinion est qu'il vaudrait beaucoup mieux que l'exécution ait lieu en secret. Mais je suis absolument convaincu que le public ne serait pas satisfait. Et quand je parle du public, je parle de la grande masse des classes moyennes et populaires.

Q. — Vous venez de dire qu'en ce qui vous concerne personnellement vous étiez en faveur du secret de l'exécution. Quelles sont les raisons qui vous font parler ainsi ?

R. — Je pense que le procédé actuel a surtout pour effet d'assouvir une curiosité morbide du public, qui ne devrait pas être satisfaite.

Q. — Pensez-vous, étant donné le genre de scènes qui accompagnent généralement ces exécutions, qu'elles ont un effet moral plutôt mauvais que bon ?

R. — Je ne pense pas que la question se pose de cette manière. Je ne pense pas qu'on puisse dire cela, parce que ceux qui ont un goût morbide pour ce spectacle ne peuvent souffrir d'une telle exhibition... D'une manière générale, ceux qui assistent aux exécutions ne sont pas des gens capables de se rendre coupables d'un meurtre, quelles que soient par ailleurs les fautes qu'ils sont capables de commettre. Vous me permettrez de vous dire que, d'après mon expérience, je pense que, sur le plan moral aussi bien que religieux, cela ne sert pas à grand-chose pour empêcher les gens de commettre des crimes.

Q. — Qu'est-ce qui ne sert pas à grand-chose ?

R. — Le fait de savoir qu'un homme a été exécuté.

Q. — Vous pensez donc que la peine de mort n'a qu'un très faible effet d'exemplarité.

R. — Au contraire. Je crois que la peine de mort a pour effet d'empêcher, en fait, les gens de commettre des crimes. Et je n'ai pas le moindre doute que si elle était abolie personne ne pourrait plus considérer, dans ce pays, que sa propre vie est à l'abri.

Q. — Dans vos conversations avec des condamnés, vous êtes-vous aperçu qu'ils étaient capables de trouver en eux la trace d'une influence utile causée par le spectacle d'une exécution ?

R. — Non.

Q. — Pouvez-vous nous dire quelle expérience vous avez du métier que vous avez exercé ?

R. — J'ai fait partie de la police pendant presque vingt-cinq ans. J'ai commencé par les premiers grades, et je me suis élevé ensuite normalement dans la hiérarchie. Maintenant, je suis à la retraite.

Voilà un remarquable exposé que celui de cet homme qui avait loyalement servi dans la police pendant un quart de siècle. Remarquable surtout par ses contradictions. Pris à l'improviste, il avoue son opinion personnelle d'honnête homme : le spectacle est révoltant. Mais, quand le président essaie de le mettre au pied du mur, il se reprend et se replie avec conscience sur la doctrine collective, ou le mythe collectif de la police, qu'il a appris par cœur : « Si la peine de mort était abolie, personne ne pourrait plus considérer, dans ce pays, que sa propre vie est à l'abri. » Et puisque « le public ne serait pas satisfait si les exécutions n'étaient plus publiques », nous n'avons qu'à continuer, même si, dans notre for intérieur, cela nous dégoûte, *amen*. L'inspecteur John

Haynes a exprimé ainsi la philosophie de la police, passée et présente.

D'où il découle que les exécutions continuèrent d'être publiques pendant encore douze ans, après que le Comité de 1856 eut unanimement recommandé qu'elles ne le fussent plus. Et cent ans plus tard, la police, en tant que corps, croyait encore que la pendaison pouvait seule détourner du crime, aussi fermement qu'elle le faisait du temps de l'inspecteur Haynes. Sur un point seulement les policiers avaient fait une concession à l'opinion de leur époque : ils admettaient désormais qu'il existait «certains individus... pour lesquels même la peine de mort perdait sa valeur d'exemplarité». Mais ils ajoutaient que si la peine de mort était abolie, un plus grand nombre de professionnels du crime «prendraient l'habitude d'user de violence et de porter des armes sur eux ; et que, par conséquent, les policiers, qui ne sont pas armés, se verraient obligés de rendre coup pour coup». La Commission royale fit observer «qu'il ne lui avait pas été prouvé que l'abolition de la peine de mort dans des pays étrangers eût conduit aux conséquences que craignaient de voir se produire les témoins entendus», c'est-à-dire les policiers. Le Comité, vingt ans plus tôt, avait exprimé, avec plus de détails, les conclusions auxquelles ses travaux avaient abouti :

La preuve ne nous a pas été apportée qu'après l'abolition de la peine de mort dans d'autres pays il y ait eu quelque augmentation du nombre de criminels trouvés porteurs d'armes, ou quelque augmentation du nombre des condamnations prononcées pour port d'armes prohibées. Les conditions sociales qui conduisent les criminels, dans certains pays, à être porteurs d'armes prohibées n'ont aucun rapport avec la question de la peine de mort.

C'est ainsi que l'on trouve moins de criminels armés en Belgique, où la peine de mort a été abolie, qu'en France, où elle est appliquée. Les États-Unis ont maintenu l'application de la peine de mort dans la plus grande partie de leur territoire... les exécutions y sont de loin plus nombreuses que chez nous, par rapport à notre population. Cependant le port d'armes à feu ou d'armes prohibées de toutes sortes est répandu aux États-Unis.

La Grande-Bretagne a maintenu la peine de mort, et pourtant le délit de port d'armes prohibées, surtout chez les jeunes zazous, s'est accru dans les années d'après-guerre, principalement sous l'influence des films américains, des «comics» et de toute la littérature qui exalte la vie des gangsters. Mais les gens qui se nourrissent de cette sorte de pellicule et de cette sorte de papier, et qui règlent leur comportement sur de tels produits, appartiennent à cette catégorie d'individus, mentalement déséquilibrés, fanfarons et hâbleurs, comme Craig et Donald Brown, que la peine de mort ne détournera jamais du crime et qui éprouvent même une sorte d'attrait pour elle. Ils mettront un «feu» dans leur poche pour montrer à leur poule qu'ils sont des durs, et ils s'en serviront un jour, dans un moment de panique ou de délire. Rien n'est plus éloigné de cette mentalité que celle des professionnels du crime auxquels se réfèrent précisément les arguments de la police. Le professionnel sait qu'une arme trouvée sur lui est la plus grave des pièces à conviction, qu'il s'en soit servi ou non. Il sait que pour un cambriolage ordinaire il s'en tirera avec trois mois de taule, mais qu'il ne coupera pas à cinq ans de centrale si, dans des circonstances identiques, il est trouvé porteur d'un «feu». Par conséquent, la peine de mort n'est pas une nécessité, comme le montre l'exemple des pays où elle a été abolie, pour empêcher les professionnels du crime d'être armés. En revanche, elle agit le plus souvent comme une provocation à l'égard du zazou déséquilibré et fanfaron, qui est le criminel type des années d'après-guerre.

Cependant les policiers, appuyés d'ailleurs par les hauts magistrats, demeurent inébranlables. Et leur influence sur le Parlement et sur le ministère de l'Intérieur est plus grande que celle de n'importe quel syndicat. Les derniers scandales provoqués par l'exécution de quelques garçons à demi fous, en dépit de l'opposition du public et même du Parlement, ont été pour beaucoup une leçon amère et humiliante. Mais cela a été aussi une leçon qui leur a ouvert les yeux et qui leur a permis de se rendre compte que, si le policier britannique moyen est, en tant qu'individu, brave et humain, la police, en tant qu'institution, avec son esprit de corps, sa mentalité œil-pour-œil-dent-pour-dent, est quelque chose de tout à fait différent.

Et nous voici arrivés au dernier point qui nous intéresse dans ce chapitre : l'influence des partis politiques sur l'application de la législation criminelle. Ces dernières années, nous avons connu plusieurs exemples de ministres de l'Intérieur, fermes partisans de la peine de mort quand ils sont au gouvernement, et non moins fermes adversaires quand ils se trouvent dans l'opposition. Avant de devenir ministre de l'Intérieur, Sir Samuel Hoare combattit en faveur de l'abolition ; dès qu'il fut en possession de son portefeuille, il s'y opposa. Il n'avait pas plutôt quitté ses fonctions qu'il devenait de nouveau adversaire de la peine de mort et qu'il écrivait sur ce sujet un livre fort émouvant. L'exemple suivant est celui de M. Chuter Ede, socialiste. Avant d'être ministre, il combattit la peine de mort ; il n'était pas plutôt entré en fonctions qu'il..., etc. Le dernier en date est le major Lloyd George, conservateur. En 1948, avant de devenir ministre de l'Intérieur, il vota l'abolition ; en 1955, il s'opposa à l'abolition, au nom du gouvernement. Si le Ciel le permet, il aura un jour l'occasion de voter pour elle.

Cela dit, il faut savoir que le ministre de l'Intérieur n'exprime pas seulement l'opinion du gouvernement sur la peine de mort. C'est à lui aussi que revient, après le Seigneur Tout-Puissant, la décision de faire pendre ou non un homme. On pourrait croire qu'une si lourde responsabilité le rendrait imperméable à toute influence extérieure. De récents exemples ont montré qu'il n'en était rien.

Je voudrais espérer que ce coup d'œil rétrospectif, si sommaire soit-il, aura dissipé quelques-unes des brumes dont s'enveloppe ce problème. Et aussi qu'il aidera le lecteur à envisager la question de la peine de mort, mise en lumière par son histoire, avec un esprit sans préjugés.

II

Réflexions sur la pendaison
d'un porc

ou

Qu'est-ce que la responsabilité pénale ?

Dans *L'Homme et la Bête*, de Mangin, on peut voir une gravure intitulée : « La peine capitale appliquée à une truie. » La truie, habillée de vêtements humains, les pattes garrottées, est maintenue sur l'échafaud par l'exécuteur qui fixe la corde autour de son cou. En face, se tient le greffier qui lit la sentence sur un rouleau. Au pied de l'échafaud, la foule se bouscule, une foule du genre de celle qui a l'habitude de se réunir autour de l'arbre de Tyburn. Les mères élèvent leurs enfants dans leurs bras, pour qu'ils puissent mieux voir, tandis qu'un notable à la mine sévère montre du doigt la truie qui hurle, expliquant certainement qu'« elle n'a que ce qu'elle mérite ».

Les animaux coupables d'avoir tué un être humain étaient, au Moyen Âge, et pour certains cas isolés jusqu'au XIXe siècle, jugés selon la loi, défendus par un avocat, quelquefois acquittés, plus souvent condamnés à être pendus, brûlés ou enterrés vifs. La truie de la gravure avait tué un enfant. Elle fut pendue en 1386, à Falaise. Un cheval qui avait tué un homme fut pendu à Dijon en 1389. Une autre truie, qui nourrissait une portée de six petits, fut condamnée à mort pour le meurtre d'un enfant, à

Savigny, en 1457, mais les porcelets furent acquittés «faute de preuve positive de leur complicité».

Un autre crime passible de la peine capitale pour les animaux, outre l'homicide avec ou sans préméditation, était les rapports sexuels avec un être humain. Dans ce cas, les deux complices, l'homme et l'animal, étaient brûlés vifs ensemble, aux termes de la «Lex Carolina». Le dernier cas rapporté fut celui de Jacques Ferron, brûlé en 1750 à Vanvres pour s'être livré à des actes de sodomie sur une ânesse. Cependant, l'ânesse avait été acquittée, après que le curé de la paroisse et de nombreux notables eurent affirmé qu'elle avait été «victime d'une violence et qu'elle n'avait pas participé au crime de par sa libre volonté».

La peine de mort appliquée aux animaux tomba en désuétude au cours du XVIIIe siècle. Le dernier cas dont on ait recueilli le souvenir est celui d'un chien, jugé et exécuté pour avoir participé à un vol et à un meurtre, à Délémont, en Suisse, en 1906.

Comment se fait-il que nous trouvions la pendaison d'un animal plus révoltante encore et plus dégoûtante que celle d'un homme? La question mérite d'être examinée.

Prenons d'abord le mot «dégoûtant». La plupart d'entre nous, n'étant pas végétariens, n'éprouvent aucun sentiment de dégoût à l'idée d'un veau qu'on abat sans le faire souffrir ou d'un gibier qu'on tire. L'idée d'exécuter un animal est répugnante parce qu'elle nous paraît être une manière sans justification et «artificielle» de mettre fin à la vie de la bête, un procédé rendu plus macabre encore par la grotesque cérémonie qui l'accompagne. Mais la pendaison d'un homme ou d'une femme est aussi une cérémonie artificielle, et qui n'a rien d'appétissant. Le meurtrier et le soldat ont une raison pour tuer, ce qui rend leur acte plus ou moins spontané. Sur le lieu de l'exécution, ce caractère de spontanéité, qui rachète l'odieux du geste, est absent. Il ne reste plus que l'aspect cérémonieux et macabre de l'acte qui consiste à briser une nuque. Cependant, admettons que le sentiment de répulsion, provenant de motifs esthétiques, est un point secondaire. La vraie question demeure celle-ci : pourquoi, pour des raisons d'ordre intellectuel, trouvons-nous l'exécution d'un animal plus révoltante que l'exécution d'un être humain ?

Examinons ce problème du point de vue de la protection de la société. Nous savons que le fait de pendre un porc n'empêchera pas d'autres porcs d'attaquer des enfants qui auront été laissés par négligence à leur portée. Bien enfermer le porc est une protection suffisante pour la société. Mais cette réponse n'est pas la bonne, puisque l'expérience prouve aussi qu'exécuter des hommes n'est pas plus efficace, en tant que mesure d'intimidation, que de les enfermer. Dans ces conditions, la croyance dans le pouvoir d'intimidation de la peine de mort disparaît, et la pendaison d'un homme apparaît comme une cruauté aussi inutile que la pendaison d'un cheval. Pourquoi donc sommes-nous alors plus indignés à l'idée d'étrangler un cheval ? Parce que c'est une créature sans défense ? Une femme garrottée ou ligotée à une chaise et conduite ainsi jusqu'à la potence n'est pas moins sans défense.

Il faut donc chercher ailleurs. Essayons ceci : « Cette pauvre créature ne savait pas ce qu'elle faisait. Elle ne peut être tenue pour responsable de ses actes. Dans ces conditions, son procès devient une simple farce. » Il semble enfin que nous soyons dans la bonne voie. Mais y sommes-nous vraiment ? Car s'il vous est jamais arrivé de voir, dans les yeux de votre chien, le regard coupable qu'il dirige vers

vous après avoir chipé une côtelette ou déchiré vos
pantoufles, vous savez que le jury n'aurait d'autre
ressource que de le dire responsable, en vertu des
règles M'Naghten : *votre chien connaissait la nature*
de son acte et savait qu'il était mal de l'accomplir.

Bien sûr, un cochon est moins intelligent qu'un
chien et, en comparaison, on peut le considérer
comme dépourvu de sens moral. Mais chacun sait
que la déficience mentale et le manque de sens
moral n'abolissent pas la responsabilité pénale et
qu'ils ne sont pas des motifs suffisants pour permettre de plaider « coupable, mais dément ». Straffen était mentalement anormal, et pourtant il fut
condamné à mort après que le juge, M. Cassels, eut
rappelé au jury qu'il n'avait à se conformer qu'aux
« règles M'Naghten », « et non au fait qu'il s'agissait
d'un faible d'esprit, et d'un homme manquant de
sens moral ». Dans ces conditions, il ne serait pas
difficile au ministère public de prouver que la truie,
dans la mesure de ses modestes lumières, savait ce
qu'elle faisait, et savait qu'elle faisait quelque chose
qui ne lui était pas permis. Et la preuve en fut donnée par le fait qu'aussitôt que son gardien apparut,
elle s'enfuit d'un air coupable, au lieu de venir vers
lui, comme de coutume, pour lui réclamer sa nour-
riture. Nous pouvons même aller plus loin, tout en
restant sur le solide terrain de la légalité. Tout animal, capable d'être apprivoisé ou dressé, pourra être
considéré comme responsable par nos tribunaux,
pour la simple raison que le dressage est fondé sur
la création, dans l'esprit de l'animal, de distinctions
entre ce qui est permis et ce qui ne l'est pas. Exactement comme la discipline peut être maintenue
dans les asiles parce que tous les fous, à l'exception
de ceux qu'on met au cabanon, sont capables de distinguer entre le « bien » et le « mal », en se rapportant

aux règles établies par leurs gardiens. Comme Lord Bramwell l'a remarqué il y a environ quatre-vingts ans : « La loi actuelle comporte une définition de la démence telle que personne n'est jamais tout à fait assez dément pour pouvoir être visé par elle. » Il est exact que si un faible d'esprit est conduit devant les tribunaux, ceux-ci doivent, conformément à la loi, le confier à une institution psychiatrique ou le mettre sous surveillance au lieu de le faire passer en jugement — *à moins que le crime qu'il a commis ne soit passible de la peine de mort.* Dans ce cas, le jugement doit être prononcé.

Dans ces conditions, les défenseurs des animaux devront trouver d'autres arguments. L'idiotie et le manque de sens moral ne tireront pas d'affaire leurs clients. Non plus qu'une plaidoirie arguant de leur « responsabilité diminuée », puisqu'il est admis qu'une responsabilité diminuée peut exister en Écosse mais qu'elle n'existe pas en Angleterre ou au pays de Galles.

Le seul espoir est de voir l'accusation de meurtre transformée en accusation d'homicide. Dans le cas du cheval qui a tué son maître d'un coup de pied, la provocation aurait peut-être fait l'affaire, le cheval étant devenu nerveux et irritable à la suite d'un coup de tromblon reçu à la bataille de Cherbourg, et les témoins ayant affirmé que son maître avait méchamment fait exploser un pétard devant son nez pour le taquiner. Dans ces conditions, cet imbécile ne pouvait s'en prendre qu'à lui-même si son cheval était sorti de ses gonds. Mais cela ne fait pas non plus l'affaire. Premièrement, parce que la provocation n'est pas une circonstance atténuante[1], si

---

1. Excepté « dans des circonstances extrêmes et d'un caractère exceptionnel ». On ne cite pas de cas récents où de simples mots ou gestes aient été considérés comme une provocation suffisante.

elle n'est commise que par mots ou par gestes. Deuxièmement, parce que la provocation doit être telle que le jury soit convaincu : *a*) qu'elle a privé l'accusé de tout contrôle de soi, *b*) *qu'elle aurait eu le même effet sur tout homme (ou cheval) raisonnable*. Par conséquent, une créature qui est «mentalement déficiente», «mentalement anormale» ou «mentalement déséquilibrée», ou encore «exceptionnellement excitable ou batailleuse», n'est pas en mesure de se réclamer d'une provocation qui n'aurait pu conduire «*une personne normale* à se conduire comme elle l'a fait». Cette subtilité de la loi, en ce qui concerne la provocation, est généralement appelée «le critère de l'homme raisonnable». Il y est expressément dit que, lorsque le jury doit décider si la provocation a été suffisante pour priver un homme raisonnable de toute maîtrise de soi, *il ne doit pas* «prendre en considération les degrés divers de capacité mentale». Ce qui veut dire que le jury, en estimant les effets de la provocation, ne doit pas considérer la créature vivante qui se trouve en face de lui, mais un être humain idéal et abstrait. Cette disposition incroyable a été approuvée par la Cour d'appel criminelle (en 1940) et par la Chambre des lords (en 1942). Aux termes de ces décisions, le fait de faire partir un pétard devant un cheval autrefois blessé par un coup de feu, ce qui met l'animal hors de ses gonds, ne justifie donc pas qu'on plaide la provocation, parce qu'un cheval raisonnable ne serait pas sorti de ses gonds. De la même manière, ce n'est pas une provocation que d'appeler «sale Juif» un homme qui sort d'un camp de concentration, parce qu'une personne raisonnable ne se serait pas émue d'un propos de ce genre.

En dernier ressort, l'avocat pourrait prétendre au moins que le cheval a agi sans «intention de nuire».

S'il arrive à prouver cette affirmation, l'accusation de meurtre pourrait être transformée en accusation d'homicide. Mais comment le prouver? En effet, dans cette expression «intention de nuire», aucun des deux mots employés ne l'est dans son sens ordinaire... Il ne s'agit plus que d'un symbole arbitraire. Le fait de *nuire* peut n'avoir rien de criminel, et *l'intention* n'est pas nécessaire, en dehors du fait que le désir vient nécessairement avant l'action — quoique peut-être un instant seulement. Le mot «intention», dans cette expression, est donc devenu ou inexact ou inutile.

Cependant, ces mots dépourvus de sens demeurent le critère fondamental du meurtre. La glose le plus souvent citée sur cette loi est celle de Sir James Stephens, telle qu'il l'a formulée en 1877 dans son *Résumé de droit pénal* : «L'intention de nuire se rapporte à un ou plusieurs des états d'esprit suivant, précédant l'acte *ou coexistant* avec lui... par lequel la mort est provoquée, et *elle peut exister même dans le cas où il n'y a pas préméditation.*»

Bref, si les animaux étaient encore poursuivis devant les tribunaux, le jury, aux termes de la loi existante, n'aurait d'autre ressource que de rapporter un verdict de culpabilité contre le porc, le cheval ou la vache, et d'y ajouter une instante demande de grâce. Seul, le chien enragé pourrait s'en sortir, car, seul, il serait qualifié de «dément aux termes des règles M'Naghten».

Il y a longtemps que les membres des professions judiciaires connaissent l'absurdité de la loi, quand elle est appliquée à la lettre. En 1874, un comité désigné par la Chambre des communes déclarait :

S'il est un cas où la loi devrait s'exprimer clairement, sans sophisme ni échappatoire, c'est bien quand elle met en jeu la vie humaine. Et c'est précisément dans ce cas que la loi est le plus encombrée de sophismes et d'échappatoires.

Soixante-quinze ans se sont écoulés depuis lors, et pourtant, en dépit d'innombrables tentatives de réforme, la loi dans son essence demeure aujourd'hui ce qu'elle était il y a un siècle. L'exemple le plus éclatant de ses «sophismes» et de ses «échappatoires» reste les fameuses «règles M'Naghten» qui, pour des raisons qui seront évidentes, méritent qu'un chapitre leur soit consacré.

III

Le précédent sans précédent

ou

Les «règles M'Naghten»

Dans les cinquante premières années de notre siècle, près de 20 000 personnes furent jugées pour des délits de tous ordres autres que le meurtre. Parmi elles, 29 en tout furent jugées «coupables mais démentes», c'est-à-dire 0,15 %.

Pendant le même demi-siècle, 4 077 personnes furent jugées pour meurtre. Parmi elles, 1 013 furent relaxées ou acquittées. Des 3 064 accusés de meurtre qui restent, 1 241 furent jugés «coupables mais déments», soit au cours de l'instruction, soit devant le tribunal, ce qui fait un total d'environ 40 %.

En d'autres termes, la démence, en tant que moyen de défense, est une exception dans les procès concernant d'autres crimes que le meurtre, tandis qu'en ce qui concerne le meurtre elle est presque la règle. Dans plus de la moitié de ces procès, la question de savoir si l'accusé est sain d'esprit est discutée devant le tribunal et on envoie à l'asile deux fois plus de meurtriers qu'à la potence. Il est évident que le meurtre est en rapports plus étroits avec la démence que tout autre crime. Mais cette constatation ne joue que pour une faible part dans l'énorme disproportion (40 % contre 0,15 %) qui existe entre les cas où la démence a été utilisée comme moyen de défense dans les procès pour meurtre, et ceux où elle a été utilisée dans d'autres procès. La vraie raison est que, pour tous les crimes ou délits, le châtiment de l'accusé est laissé à l'appréciation du Tribunal, sauf dans les cas où la loi prévoit, d'une manière rigide et inexorable, l'application de la peine de mort. Un cambrioleur, un homme qui s'est rendu coupable de viol peuvent être condamnés, en tenant compte des circonstances de la cause, à des peines allant de la prison avec sursis à quinze ans de prison ferme. Mais quand il s'agit d'un meurtrier, qu'il ait empoisonné de sang-froid, tué par pitié ou qu'il survive à un suicide à deux, le jury n'a le choix qu'entre le déclarer coupable ou «coupable mais dément». Il n'existe pas d'autre moyen (en dehors de la requête en grâce, dont le résultat est incertain) pour tenir compte des circonstances du procès, pour sauver un homme qui, dans l'esprit des membres du jury, ne devrait évidemment pas être pendu. D'où l'immense importance des «règles M'Naghten» qui définissent les cas de démence. En effet, la démence est la seule porte de secours pour le jury comme pour l'accusé, l'un et l'autre pris au piège d'une loi antique et rigide. De plus, ces règles comportent implicitement une définition de ce qu'on entend par «responsabilité pénale». Elles jouent donc un rôle déterminant dans les problèmes philosophiques, scientifiques et moraux mis en cause par la justice humaine. Je réserve l'étude de ce dernier aspect de la question pour le chapitre intitulé : «Volonté libre et déterminisme».

C'est donc dans la jurisprudence qui découle de l'arrêt M'Naghten que réside le seul espoir du criminel, c'est-à-dire que c'est elle qui détermine la direction vers l'échafaud ou vers l'asile, puisqu'en dehors de la grâce, il n'existe pas d'autre issue.

Nous avons vu que deux sur trois de ceux qui sont jugés coupables sont sauvés par elle. Il est donc clair que l'histoire de l'arrêt M'Naghten est essentielle à la compréhension du problème de la peine de mort.

M'Naghten n'était pas un juge. C'était un fou. C'était un protestant du nord de l'Irlande qui vivait avec l'idée fixe que Sa Sainteté le Pape, l'Ordre des Jésuites et le leader du parti conservateur, Sir Robert Peel, conspiraient contre sa vie. C'est dans ces conditions qu'il fit l'acquisition d'un pistolet et qu'un beau jour de 1843, il se planta dans Downing Street avec l'intention de tirer sur Peel, qu'il considérait comme le Prince du Mal. La presse illustrée n'ayant pas encore été inventée à cette époque, M'Naghten ne savait pas à quoi ressemblait Peel. C'est pourquoi il tira par erreur sur M. Edward Drummond, secrétaire de Peel, qui se trouvait par là.

À son procès, huit médecins témoignèrent (le mot psychiatre n'avait pas encore été inventé), tous affirmant que, du fait de son idée fixe, M'Naghten était privé de tout contrôle sur ses actes. Quand ils eurent terminé, le Lord Chief Justice Tindal arrêta pratiquement le procès et demanda au jury de rapporter un verdict « non coupable pour cause de démence ». M'Naghten fut envoyé à l'asile.

Le procès avait donné lieu à de nombreuses discussions et les oracles d'alors pensaient que M'Naghten aurait dû être pendu, sans doute pour empêcher d'autres fous du même genre de croire que le Pape et Sir Robert Peel en voulaient à leur vie. La Chambre des lords, comme d'habitude, suivit l'opinion des oracles. Leurs Seigneuries établirent un questionnaire concernant la responsabilité pénale des personnes atteintes de troubles mentaux. Le questionnaire fut envoyé, non au corps médical, mais aux quinze juges présidant les cours du royaume. Leurs réponses, telles qu'elles furent données par quatorze de ces quinze juges, constituent les « règles M'Naghten ». Il serait plus convenable de les appeler les « règles anti-M'Naghten » puisque quatorze juges aboutirent à la conclusion que les médecins s'étaient trompés dans leur diagnostic et que M'Naghten aurait dû être pendu. Cette heureuse improvisation a réussi, comme quelques autres textes juridiques, à survivre triomphalement aux tempêtes d'un siècle, ou, plus précisément, à cent treize ans aujourd'hui. Parmi les passages les plus importants de la réponse des juges, il y a d'abord celui selon lequel

... pour arguer de la démence, il faut qu'il puisse être clairement prouvé que, au moment où il a commis l'acte qui lui est reproché, l'accusé se trouvait sous le poids d'un défaut de raison, provenant d'une maladie de l'esprit, tel qu'*il ne pût connaître la nature et la qualité de l'acte qu'il accomplissait, ou, s'il la connaissait, qu'il ne pût savoir que ce qu'il faisait était mal.*

Et, en second lieu, que si quelqu'un se trouve affecté d'idées fixes démentielles, « il doit être considéré, en ce qui concerne sa responsabilité, dans la même situation que celle où il se trouverait *si les faits qui sont l'objet de son idée fixe étaient réels* ».

En d'autres termes, il fallait pendre M'Naghten parce que, bien qu'il fît preuve de démence en croyant que Peel le persécutait, il aurait dû être assez sain d'esprit pour prendre sur lui de ne pas tirer, puisqu'il devait savoir que la loi n'autorise pas à tirer sur celui qui vous persécute. On verra que Lord Goddard, plus d'un siècle après, devait adopter la même attitude au cours de son témoignage sur le cas de Ley devant la Commission royale.

Bien que les «règles M'Naghten» eussent été établies l'année même où Joseph Smith autorisait la polygamie chez les Mormons, elles représentaient une régression dans un passé plus lointain encore. En 1800, un homme appelé James Hatfield, qui était atteint de l'idée fixe que le salut du monde dépendait de lui, commit un attentat contre la vie de George III. Il fut acquitté sur le motif de démence, après un discours fameux de Lord Erskine. En substance, celui-ci avait déclaré qu'un homme qui agit sous l'empire d'une idée fixe est dément, et par conséquent irresponsable, même s'il n'a pas perdu toute raison. Erskine savait ce que les oracles n'apprendront jamais, parce que cela détruirait tout l'univers artificiel où ils se meuvent : que la nature humaine, dans son tréfonds, est gouvernée par les émotions et les impulsions, la passion et la foi, le tout recouvert d'une croûte relativement nouvelle et précaire de raison, qui est susceptible de craquer lorsque la pression interne devient trop forte. Il savait aussi qu'une fois que cela a craqué, la raison perd tout contrôle sur l'acte, qu'elle ait ou non conservé sa capacité de distinguer le «bien» du «mal». L'expression argotique «il a une fente au plafond» montre une claire compréhension de la nature de l'esprit humain, que la loi refuse en vertu de l'hypothèse absurde que si x % des facultés de raisonnement sont détruites, alors y % continuent à fonctionner comme si de rien n'était, et cela permet à un homme de se rendre maître de ses impulsions, comme s'il était normal.

Le point de vue d'Erskine sur la démence, qui conduisit à l'acquittement d'Hatfield en 1800, n'a pas toujours été adopté dans les procès qui suivirent. Ce fut pourtant un précédent fameux et c'est en s'y conformant que les juges acquittèrent M'Naghten.

Les règles anti-M'Naghten sont, par ailleurs, une curiosité sans précédent dans l'histoire de la coutume, car elles n'étaient qu'un jugement rendu à propos d'un cas abstrait et fictif, et non d'un cas réel. Techniquement, elles ne peuvent être considérées comme faisant jurisprudence, puisqu'elles ne se fondent sur aucun procès. Mais dans la forêt pétrifiée de la loi, elles demeurent raides et indestructibles. Et c'est ainsi qu'à la question de savoir si un accusé est responsable ou non, et par conséquent s'il doit vivre ou mourir, on répond aujourd'hui en se conformant à l'opinion de quatorze juges qui, en 1843, expliquèrent pourquoi M'Naghten, qui avait été relaxé, n'aurait pas dû l'être. Aussi longtemps que la coutume a existé, les juges se sont fondés sur le précédent ; mais depuis un siècle le sort d'innombrables personnes a été décidé en se fondant sur l'anti-précédent que constitue un jugement fictif, expressément conçu pour revenir sur un autre jugement qui, lui, avait été prononcé dans un vrai procès.

Il est important de se rappeler que les «règles M'Naghten» sont nées en 1843, avant que le mot même de psychiatrie eût été inventé, avant que Darwin eût publié *L'Origine des Espèces*, avant qu'on eût imaginé que l'homme a un passé biologique, des instincts «animaux» et des impulsions qui, toutes déplorables qu'en fussent les manifestations dans un salon de l'époque victorienne, n'en sont pas moins son patrimoine naturel en même temps qu'une explication et une justification partielle de ses actes. On n'imaginait pas non plus que l'enfance, l'éducation et le milieu social sont responsables dans une large mesure de la formation du caractère, y compris du caractère des criminels. 1843, c'était l'année où une commission royale d'enquête sur les mines suggéra qu'il n'était peut-être pas parfaitement convenable que les femmes et les enfants travaillassent quatorze heures par jour dans les fosses. Et pourtant, même à cette époque, les «règles M'Naghten» étaient un anachronisme, condamné par la majorité du corps médical et par les membres les plus éclairés des professions juridiques. En 1864, une réunion des médecins des hôpitaux et des asiles de fous — et qui était mieux qualifié que ceux-là pour parler de la folie? — votèrent la résolution suivante :

Que dans sa plus grande part, le critère légal de la condition mentale d'un criminel dont il est allégué qu'il est fou, critère qui tend à faire considérer l'accusé comme responsable parce qu'il connaît la différence entre le bien et le mal, est incompatible avec le fait, bien connu de chacun des participants à cette réunion, que la faculté de distinguer entre le bien et le mal existe fréquemment chez ceux qui sont, sans doute possible, déments; de même qu'elle est souvent associée avec des manies dangereuses et incontrôlables.

Mais les juges s'opposèrent à toute réforme.

Dix ans plus tard, la plus grande autorité juridique du temps, Stephen, essaya d'amender les «règles M'Naghten», mais les juges refusèrent encore toute modification. C'est à cette occasion que Lord Bramwell (inventeur des Sociétés à Responsabilité Limitée) fit cette fameuse remarque que j'ai citée plus haut : que les règles «établissent une telle définition de la folie que personne, ou presque, n'est jamais tout à fait assez fou pour tomber sous le coup de cette définition, *qui est pourtant bonne et logique*».

En 1922, un comité fut créé et placé sous la présidence du juge Lord Atkin pour examiner la question. Le Comité entendit les opinions émises par les membres de l'Association des Médecins britanniques et de l'Association royale de Médecine psychologique. Il accepta leur proposition en vue d'amender les règles de manière telle qu'un homme ne pourrait plus être considéré comme pénalement responsable si, en raison d'une maladie mentale, il agissait sous l'action d'une impulsion irrésistible. Le gouvernement refusa, comme d'habitude, d'accepter les recommandations du Comité qu'il avait désigné, et retourna la question aux juges. Dix des douze juges présidant les cours du royaume votèrent, comme d'habitude, contre la réforme, et la Chambre des lords, comme d'habitude encore, acquiesça en rejetant le projet de loi. Le Lord Chief Justice Hewart, au cours du débat, se référa à la modification proposée comme à «la théorie bizarre de l'impulsion incontrôlable qui, si elle était admise à faire partie de notre système pénal, finirait simplement par tout renverser».

Un autre quart de siècle plus tard, la Commission royale de 1948 proposa que les «règles M'Naghten» fussent abrogées et que la question de la responsabilité pénale fût laissée à l'appréciation du jury. À défaut, elle proposa que les règles fussent étendues aux cas où l'accusé avait été reconnu «incapable de s'empêcher de commettre l'acte» qui lui était reproché. C'était, en fait, le même amendement que celui proposé par Stephen quatre-vingts ans plus tôt et par le Comité Atkin vingt-cinq ans plus tôt. Comme d'habitude, les juges s'y opposèrent. Comme d'habitude aussi, le gouvernement refusa d'agir selon les propositions du Comité qu'il avait lui-même désigné. Au cours du dernier en date des débats parlementaires, l'Attorney général déclara simplement «qu'il serait extrêmement difficile d'établir une règle meilleure que la "règle M'Naghten"», et le ministre de l'Intérieur, l'ex-abolitionniste major Lloyd George, déclara aux Communes :

Le gouvernement a étudié la question très attentivement... Le point de vue qu'il est disposé à adopter est qu'il n'y aurait aucun avantage à apporter du trouble à la situation présente et qu'il vaut mieux laisser les choses en l'état.

La situation présente peut être résumée par cette citation, extraite du rapport de la Commission royale : « Si une personne atteinte d'une telle anomalie (déficience mentale) est accusée de meurtre, et si le jury est convaincu qu'elle a commis l'acte dont elle est accusée, les jurés n'ont d'autre possibilité que de la déclarer convaincue de meurtre, et le juge est obligé de prononcer la sentence de mort. »

Un psychiatre éminent disait récemment, à propos de certains aspects de la loi sur le meurtre :

On aurait du mal à réunir dans un espace aussi limité tant de mots abstraits et vagues, tant de verbes ambigus, tant d'inventions indéfendables... Le concept même de « responsabilité pénale » est une fiction, insoutenable du point de vue logique... S'il est vrai que la justice est toujours rendue, ce n'est en rien grâce à ces règles, mais grâce au bon sens avec lequel nos tribunaux les tournent. Quand un individu accusé de meurtre paraît être un homme convenable et quand il semble qu'il a été largement provoqué par la victime — dont on peut dire qu'elle n'a eu que ce qu'elle méritait — quand, en même temps, l'accusé est affligé d'une particularité mentale qui n'appartient pas à la plupart d'entre nous, l'avocat général émousse ses pointes, les juges laissent entendre qu'ils penchent pour l'indulgence et les jurés s'accrochent à la moindre occasion pour ne pas prononcer un verdict qui serait automatiquement suivi d'une sentence de mort.

En d'autres termes, nous avons atteint, en ce qui concerne le meurtre, une situation identique à celle qui existait au XIXᵉ siècle pour les vols de faible importance. Quand le jury n'avait d'autre choix que de condamner un pauvre diable qui avait volé un objet estimé quarante shillings, alors on disait que cet objet n'en valait que trente-neuf, et l'on donnait ainsi un camouflet à une loi anachronique. Aujourd'hui, en présence d'un dilemme du même ordre, on déclare le pauvre diable coupable, mais dément, bien qu'il ne le soit pas, puisque c'est le seul moyen dont on dispose pour le sauver.

Parfois, les jurés parviennent ainsi à sauver un homme, parfois non. Cela dépend beaucoup de leur courage et de leur détermination, quand il s'agit de ne pas tenir compte des conseils de sévérité que leur donne le magistrat. Cela dépend plus souvent encore de l'humanité ou de l'inhumanité du magistrat lui-même. Quand le juge est humain, il « élargit » la règle. Voici maintenant cinquante ans qu'une des plus grandes autorités en la matière écrivait que dans de telles circonstances « le juge doit s'en tenir strictement aux termes de la loi, puis "élargir" le sens des mots employés par la loi, jusqu'à ce que l'homme qui n'a pas l'habitude d'user du langage judiciaire soit éberlué des distorsions et des déformations auxquelles celui-ci soumet les pauvres mots, et jusqu'à ce qu'il se demande enfin s'il est bien nécessaire de disposer ainsi d'une langue dont la plus évidente utilité est qu'elle signifie tout ce que celui qui l'emploie veut lui faire dire ».

Mais s'il est des juges humains, d'autres s'en tiennent encore aux lois de l'âge de pierre. Straffen fut condamné à mort après que le juge eut averti le jury qu'il n'avait pas à tenir compte du fait que l'accusé était un simple d'esprit ; Bentley, à l'âge de dix-neuf ans, illettré et mentalement déficient, fut pendu l'année suivante ; Lentchitsky, lui aussi mentalement déficient, fut pendu la même année. Mais dans bien d'autres cas, des hommes et des femmes furent envoyés à l'asile, bien qu'ils fussent sans d'esprit, parce que la rigidité de la loi interdit toute modération de la peine en cas de meurtre. Un jugement qui porte sur la vie d'un homme est l'acte le plus solennel que puisse prévoir la loi. Quand la loi est absurde, cela devient une partie de roulette.

Mais dans cette absurde et meurtrière partie, les mauvais numéros sont favorisés. Car la tâche qui consiste à «élargir» la loi repose le plus souvent sur les psychiatres appelés par la défense. Nous avons vu que les «règles M'Naghten» sont en fait un acte de défiance des juges à l'égard des médecins. Depuis lors, une guerre plus ou moins ouverte n'a cessé de se dérouler dans les prétoires entre les juges qui défendent les règles et les médecins qui s'y opposent. Et pourtant, comme le remarque le docteur Hobson, «s'opposer à un juge, c'est mettre en jeu parfois la vie d'un homme». Il poursuit en donnant un exemple type d'un procès où «l'interrogatoire qu'il avait subi de la part de l'accusation ne soulevait pas trop de difficultés» mais où le juge, en résumant les débats, avait laissé entendre que le psychiatre était incompétent, et que, de plus, il avait été influencé. Le juge demanda au jury de déclarer l'accusée coupable de meurtre (il s'agissait d'une femme qui avait tué son enfant). Le jury, ignorant les propos du juge, rapporta un verdict d'acquittement. Mais il était évident que cela n'avait été qu'une chance, et une parodie de justice.

Le principal obstacle à toute réforme de ces règles anachroniques, ce sont encore les juges. Leurs arguments sont toujours les mêmes : aucune disposition meilleure ne peut être trouvée ; admettre l'argument de l'impulsion irrésistible ou de la responsabilité atténuée serait «subversif», etc. Pourtant, la doctrine de la responsabilité atténuée est admise depuis près de cent ans en Écosse, à la pleine satisfaction des hommes de loi, des psychiatres et du public. Cela permet aux tribunaux écossais de tenir compte des plus faibles déficiences mentales, et, «quand le jury est convaincu qu'une personne accusée de meurtre, quoique n'étant pas démente, a pu être atteinte de faiblesses ou d'anomalies mentales, approchant de la démence de telle façon que sa responsabilité peut être considérée comme sérieusement diminuée, le crime ne sera plus jugé en tant qu'assassinat, mais en tant qu'homicide». Quand on interrogea Lord Goddard à ce sujet, devant la Commission royale, il fut obligé de répondre ceci :

Q. — J'ai étudié les statistiques des cas de meurtre en Écosse, au cours des quarante-neuf dernières années. J'ai trouvé 590 cas de meurtre et seulement 23 qui donnèrent lieu à une exécution, ce qui semble très faible.

R. — Très faible.

Q. — Je crois savoir qu'ils se fondent sur la doctrine de la responsabilité atténuée ?

R. — La seule chose que j'aie lue à propos de responsabilité atténuée, je l'ai trouvée dans les procès-verbaux des premières auditions de votre Commission...

Q. — Dois-je comprendre que vous ne vous sentez pas assez familier avec la doctrine écossaise de la responsabilité atténuée pour vouloir exprimer une opinion sur la question de savoir s'il serait utile ou non de l'inclure désormais dans la loi anglaise ?

R. — Je n'en sais pas assez long à ce propos. J'aimerais donc mieux n'exprimer aucune opinion. Je trouve qu'il est déjà très difficile de bien connaître nos propres lois.

Pourtant, quelques minutes plus tôt, à une question sur l'unification des lois écossaise et anglaise, Lord Goddard avait répondu :

Je suis tout à fait d'accord : la loi devrait être unifiée sur ce point entre l'Angleterre et l'Écosse, à condition que les Écossais le veuillent bien ; mais ils sont très jaloux de leurs propres lois.

Savourons cette logique. Nous savons déjà que l'expérience des pays où la peine de mort a été abolie ne compte pas, puisque les étrangers sont différents. Maintenant nous apprenons que l'expérience de l'Écosse ne compte pas davantage, probablement parce que les Écossais, eux aussi, sont différents. Inutile de s'ennuyer à étudier leurs lois, bien que la doctrine et la pratique de la responsabilité diminuée ne demandent, à tout prendre, qu'une matinée de travail pour s'en rendre parfaitement maître. La loi du Royaume-Uni ne pourra être unifiée que lorsque les Écossais cesseront d'être jalousement attachés à leurs propres lois — c'est-à-dire quand ils accepteront de revenir, de la responsabilité atténuée, à 1843 et aux « règles M'Naghten ».

La philosophie de tout cela est résumée dans le dialogue suivant, entre le Lord Chief Justice et les membres de la Commission royale :

Q. — Êtes-vous d'accord avec cette opinion généralement répandue qu'il ne convient pas de pendre ceux qui peuvent être dits déments, au sens médical du terme ?

R. — Je pense que cela dépend surtout de ce qu'on veut dire par les mots « au sens médical du terme »... Les critères qui doivent être appliqués dans de tels cas doivent être uniquement des critères de responsabilité (c'est-à-dire les critères M'Naghten) et non ceux qui permettent de savoir si un homme est mentalement anormal sous certains aspects.

On demanda aussi à Lord Goddard s'il approuvait l'habitude pour le ministère de l'Intérieur, quand la défense avait plaidé la démence et que son argument avait été rejeté, d'ordonner une enquête afin de savoir si le condamné était mentalement propre à être pendu.

S'il a été jugé responsable, après que le jury se sera dûment enquis de son état mental, et s'il n'est pas intervenu de changement dans son état, je ne vois pas qu'il soit utile de surseoir à l'exécution et, comme je l'ai dit, je pense qu'il y a là une négation du jugement par le jury.

Bien entendu, cela n'est qu'une absurdité. Les sursis accordés dans de tels cas ne sont en rien « négations du jugement par le jury », mais négations des règles M'Naghten. Le jury doit respecter ces règles, non le ministre de l'Intérieur. Celui-ci représente le dernier recours qui permette d'échapper au garrot de ces règles, recours que le Chief Justice veut interdire, comme il appert de la suite du dialogue :

Q. — Voulez-vous dire par là que les mêmes critères de responsabilité doivent être appliqués aux deux stades, c'est-à-dire pour savoir d'abord si l'accusé sera jugé coupable et condamné à mort, et ensuite pour savoir s'il sera pendu ?

R. — Oui... si le jury pense... qu'il est responsable de l'acte qu'il a commis, aux termes de la définition donnée par les « règles M'Naghten », je ne vois pas de raison pour qu'il ne soit pas exécuté.

Q. — Dans le témoignage que nous avons reçu du ministre de l'Intérieur, il nous a été donné certaines indications sur les raisons les plus courantes pour lesquelles il arrive que le ministre de l'Intérieur recommande de surseoir à l'exécution. Une de ces raisons est la suivante : « Quand un meurtre est commis sans préméditation, qu'il est la conséquence d'un acte soudain de délire et qu'auparavant le meurtrier n'avait aucun désir de nuire à la victime, la commutation de peine est souvent recommandée.

Dans les cas de cette espèce, il est parfois nécessaire de prendre en considération le fait que l'accusé, bien que n'étant pas en état de démence, est faible d'esprit ou émotionnellement instable de façon anormale. » Je pense qu'il s'agit de ce genre d'affaires auxquelles vous faites allusion ?

R. — Je continue à penser qu'il s'agit d'une brèche faite à la conception du jugement par les jurés puisque le ministre de l'Intérieur prend une décision qui n'est pas conforme à celle du jury, après s'être livré à une enquête dépourvue de publicité... C'est une grave anomalie, surtout si on pense à la sorte de témoignage qu'il nous a été donné d'entendre de la part de certaines personnes qui se font donner le nom de psychiatres.

Pressé de répondre encore sur ce point, notre Chief Justice ajouta :

Je pense en effet que, très souvent, les conseils sur lesquels le ministre de l'Intérieur se fonde pour agir sont beaucoup trop favorables au condamné. J'ai ici une note concernant un cas récent où le ministre de l'Intérieur a ordonné de surseoir à l'exécution d'un homme. J'ai lu avec la plus grande attention le rapport établi par trois médecins experts qui ont examiné cet homme et qui ont recommandé la clémence. J'avoue qu'il m'est très difficile de découvrir les faits sur lesquels ils se sont fondés.

Q. — Puis-je, pour un instant, jouer le rôle de l'avocat du ministre de l'Intérieur et vous dire ceci : « ... Ce que le jury a décidé portait sur le point de savoir si cet homme connaissait la nature de l'acte qu'il commettait, et savait qu'il agissait mal, aux termes des "règles M'Naghten". Ce que j'ai, moi, à décider, est quelque chose de tout à fait différent. Je dois dire si cet homme est dans un état qui permette de le pendre. » Que répondez-vous à cela ?

R. — Je dis que si cet homme est responsable aux termes des « règles M'Naghten », et si rien de nouveau n'est survenu, je ne vois pas la raison pour laquelle le ministre de l'Intérieur serait d'un avis différent.

Les commissaires l'interrogèrent sur un cas précis. Celui de Ley (appelé « l'assassin de la carrière »), dont le procès avait été présidé par Lord Goddard lui-même. Il s'était référé à ce procès dans le mémoire qu'il avait adressé à la Commission royale, et il y avait déclaré qu'« il n'avait pas douté un instant que l'accusé ne fût dément ; tout son comportement montrait un cas typique de paranoïa ». Ley fut condamné à mort par Lord Goddard. Le ministre de l'Intérieur ordonna une expertise médicale et Ley fut jugé dément. On l'envoya à l'asile de Broadmoor, où il mourut quelques semaines plus tard.

Q. — Prenons le cas, très intéressant, de Ley, dont vous avez parlé. Vous n'aviez aucun doute sur le fait qu'il n'était pas sain d'esprit ?

R. — Non. Je pensais qu'il était dément, d'après la manière même dont il déposait…

Q. — Et il ne pouvait pas être protégé par les « règles M'Naghten » ?

R. — Il ne l'était pas. Du moins, c'était mon opinion.

Q. — Je suppose que vous ne souhaitiez pas voir pendre cet homme ? Vous ne pensiez pas qu'il soit en état d'être pendu ?

R. — Il me semble qu'il aurait été parfaitement naturel de le pendre.

Soyons reconnaissants envers Lord Goddard. Ce qui plaide le mieux en faveur de l'abolition de la peine de mort, ce sont les arguments qu'emploient ses partisans, et leur mentalité.

IV

Volonté libre et déterminisme

ou

Une philosophie de la potence

1

Examinons à nouveau ce problème, en apparence anodin : pourquoi la pendaison d'un animal nous paraît-elle plus dégoûtante que celle d'un être humain ?

Nous avons vu que, selon l'ancienne loi, le cheval qui tuait son maître et le chien qui volait le pot-au-feu du dimanche n'avaient ni l'un ni l'autre aucune chance de s'en sortir, puisqu'ils savaient ce qu'ils faisaient et puisque ce qu'ils avaient fait était blâmable. Évidemment, le chien n'était pas capable de se défendre, sinon en remuant la queue et en montrant tristement le blanc des yeux. Mais bien des criminels ne sont pas moins muets, dans le box, et les animaux, aussi, pouvaient toujours compter sur les services d'un avocat. Pourtant, bien que nous sachions qu'un chien bien dressé sait ce qu'il a à faire, par conséquent distingue le bien du mal, et que, dans ces conditions, rien n'empêche de le considérer comme « pénalement responsable », nous avons l'impression très nette qu'un homme est toujours *plus* responsable qu'un animal, ou du moins qu'il est responsable d'une manière différente et, en quelque sorte, plus élevée. Nous sommes tout prêts à admettre pour le chien ou le chimpanzé l'excuse de «l'impulsion contraignante», nous sommes prêts à dire qu'ils ne pouvaient rester maîtres d'eux-mêmes. C'est donc que nous admettons en même temps qu'un homme *peut toujours* rester maître de lui et que, quand il commet un crime, c'est à la suite d'un choix délibéré, indépendamment de toutes contraintes intérieures, et de par sa libre volonté.

Nous disons : le chien ne pouvait s'empêcher d'agir comme il l'a fait. Mais l'homme qui a commis un crime aurait pu résister à la tentation du crime s'il s'était donné «plus de mal», s'il avait fait «un plus grand effort», s'il avait «mieux su rester maître de soi». «Plus», «mieux» — que quoi ? Que l'effort qu'il a accompli. Notre conviction dans le fait qu'il aurait *pu* et qu'il aurait *dû* faire un plus grand effort repose sur l'hypothèse qu'une personne donnée, se trouvant dans une situation donnée, a le choix entre deux manières de réagir. En d'autres termes, que *la même cause peut produire deux effets, ou davantage.* Cette hypothèse est contraire aux fondements mêmes de la science. C'est pourtant bien elle qui sous-tend le concept de «responsabilité pénale» et d'où découle l'entière structure de la loi.

Le débat entre les théories du libre arbitre et celles du déterminisme n'est jamais mentionné dans la controverse séculaire sur la peine capitale. Et pourtant il en est le centre. On l'évite parce qu'il s'agit du plus ancien et du plus irritant des problèmes que pose la philosophie, et aussi parce qu'il est probablement insoluble. Cependant, je l'évoquerai, quand ce ne serait que pour montrer que l'incapacité où nous nous trouvons de jamais le résoudre est déjà un argument contre la peine de mort.

Il ne s'agit pas d'un dilemme appartenant au

domaine de la philosophie abstraite : c'est une question qui imprègne les actions de notre vie quotidienne. D'une part, je sais que tout ce qui arrive est déterminé par les lois de la nature. Par conséquent, puisque j'appartiens au monde de la nature, ma conduite est *déterminée* par l'hérédité et le milieu social. Mais, d'un autre côté, en contradiction avec cette certitude, j'éprouve que je suis *libre* de choisir en ce moment même, entre écrire ce texte ou le laisser en plan pour aller boire un verre au bistrot. Mon éducation scientifique m'enseigne que ma décision sera déterminée par mon passé, et que ce que j'éprouve comme un « libre choix » n'est qu'une illusion. Elle m'apprend aussi que la satisfaction que j'éprouverai demain d'avoir résisté à la tentation est non moins illusoire : si un homme est conduit, par les lois de la nature, à faire ce qu'il fait, nous ne pouvons ni l'en approuver ni l'en blâmer, pas davantage que nous ne pouvons reprocher à une montre d'être en avance ou en retard. Du point de vue de la science, les actions d'un homme sont aussi étroitement déterminées par les gènes qui lui sont transmis avec son patrimoine héréditaire, par le fonctionnement de ses glandes endocrines ou de son foie, par son éducation et ses expériences passées qui modèlent ses habitudes, ses pensées, ses convictions et sa philosophie, que le fonctionnement d'une montre est déterminé par ses ressorts, ses roues et leurs connexions ou qu'une « machine à penser » est déterminée par ses circuits, ses amplificateurs, ses résistances, ses règles de fonctionnement et par les « réserves-mémoires » dont elle a été pourvue et qui ont été alimentées. Si je sens une sorte d'ardeur satisfaite après avoir accompli certaines actions, c'est parce que je suis construit pour éprouver précisément ce type d'émotion après ce genre d'action. Si je me sens coupable, et si j'éprouve des remords, c'est parce que ce genre de réaction a été, à l'avance, imprimé à ma conscience.

La fonction de l'éducation, par conséquent, conformément au point de vue déterministe, est de pourvoir l'individu d'habitudes et de réactions types telles qu'en cas de conflit il choisira automatiquement la solution socialement utile, du fait que sa prévision d'une satisfaction personnelle ou d'une récompense sociale sera l'un des facteurs qui détermineront sa conduite, tandis que l'attente de la punition ou du remords agira automatiquement comme un obstacle. La fonction de la loi, de ce point de vue étroitement déterministe, est réduite à une fonction d'obstacle psychologique, à quoi il faut ajouter un souci d'amendement du coupable grâce à une rééducation corrective. La louange et le blâme, le châtiment en tant que vengeance ou paiement d'une dette sociale, n'ont pas leur place dans un système qui considère l'homme comme appartenant à l'univers naturel et qui admet par conséquent que son caractère comme ses actes découlent de ces lois. Devant toute situation donnée, l'homme réagit comme il doit réagir. Il ne pourrait agir autrement que si son caractère ou sa situation, ou les deux, étaient différents. Si le massier Martin n'avait pas tué Violet, c'est qu'il n'aurait pas été Martin et que Violet n'aurait pas été Violet. Dire que Donald n'aurait pas dû tuer Violet revient à dire que Donald n'aurait pas dû être Donald. Il y eut un temps où l'on chantait à Vienne une chanson à la mode qui exprime bien ce genre de raisonnement. Le refrain disait : « Si ma grand-mère avait quatre roues, on l'appellerait un omnibus. »

Au regard d'un système juridique cohérent du point de vue déterministe, les définitions en usage

devant nos tribunaux seraient considérées comme
de pures absurdités. « La responsabilité pénale » serait une absurdité, puisque le mot « responsabilité »
implique la possibilité d'un libre choix devant l'action, tandis que le libre choix est une illusion, et que
toutes nos actions sont déterminées à l'avance. « Je
n'ai pas pu m'en empêcher », suffirait à la défense
de chacun, puisque aucun de nous ne peut s'empêcher d'être ce qu'il est et de se conduire comme il se
conduit. Cette conception purement pragmatique
de la loi a été préconisée par diverses écoles philosophiques. Elle présente de grands attraits pour les
esprits scientifiques ainsi que pour tous ceux qui
adhèrent aux enseignements du matérialisme. Elle
a notamment été à la base des théories juridiques
marxistes, jusqu'aux premières années de la révolution russe, inclusivement. Mais l'évolution de la
Russie est un exemple vivant des difficultés que rencontre inévitablement une conception strictement
déterministe de la loi. En effet, dans aucun autre pays
autant que dans la Russie soviétique, l'accent n'est
mis avec plus de force sur les éléments de vengeance
et de paiement d'une dette sociale que comporte la
peine. La philosophie matérialiste de ce régime dénie
toute libre volonté de choix aux hommes et pourtant
on les appelle des traîtres, voire des cannibales et
des hyènes, s'ils choisissent de travers.

Ce paradoxe n'est pas limité aux lois : il plonge ses
racines dans l'expérience quotidienne de chacun.
C'est ainsi que, en dépit de ce que nous avons appris
sur la causalité et le déterminisme, nous pensons
tous qu'il « dépend de nous » de choisir notre occupation pour les cinq minutes qui viennent, ou tout
au moins que cela dépend de nous dans certaines
limites. Henry Sidgwick a exprimé ce dilemme dans
une formule très claire :

Mon activité volontaire est-elle ou non, à tout moment, totalement déterminée par : 1) mon caractère, tel qu'il s'est constitué, pour une part héréditairement, pour une part sous l'action de mes activités et de mes sensations passées, et 2) par les données de la situation et les influences extérieures qui agissent sur moi dans le moment ?

Un raisonnement détaché des contingences conduira la plupart d'entre nous à répondre à cette question par un «oui» hésitant. Mais notre expérience directe et intime nous crie passionnément «non». Car, pour citer William James, «toute notre expérience de la réalité, tout l'aiguillon et l'excitation de l'exercice de notre volonté reposent sur l'impression que les décisions interviennent vraiment, d'un moment à l'autre, et non que cette expérience consiste seulement dans le déroulement monotone d'une chaîne dont chaque anneau a été forgé depuis les temps immémoriaux». Cet «aiguillon» et cette «excitation» ne sont peut-être que des illusions. Mais il est certain que, même dans ce cas, il s'agit d'une illusion utile et nécessaire à l'accomplissement des fonctions aussi bien sociales qu'individuelles.

Disons donc que, par conviction rationnelle, je donne mon adhésion à une philosophie strictement déterministe. Cela ne m'empêchera pas d'éprouver du remords ou de la satisfaction après m'être décidé à accomplir une action donnée, bien que le choix que j'ai fait ait été prédéterminé et les sentiments que j'ai éprouvés ne soient que le résultat de ma première éducation. Même en admettant de telles prémisses, mes expériences de la satisfaction et du remords demeurent pour moi des événements mentaux réels, en même temps que des mobiles déterminants pour mes actions futures. Cependant, bien que l'origine de ces émotions soit discernable dans ses causes, leur message est un démenti à la causalité, car l'ardeur de ma satisfaction ou la brûlure de mon remords proviennent l'une et l'autre de ma conviction implicite que *j'aurais pu agir autrement* que je ne l'ai fait. C'est-à-dire que ma conscience ne peut s'exprimer qu'en termes émotionnels d'approbation ou de blâme, même si je sais que, en logique, il n'y a rien là à approuver ou à blâmer, puisque je ne suis pas un individu libre, mais un mouvement d'horlogerie. En fait, toute éducation, qu'elle soit guidée par des principes religieux, ou, au contraire, purement pragmatique, tend toujours à installer dans l'esprit cette espèce d'orchestre émotionnel qui fait sonner le cor ou la trompette d'un Jugement permanent, *comme si* toute action était libre. C'est ainsi que l'individu, même si tous ses actes sont déterminés, et même s'il est, en raison, convaincu qu'il en est bien ainsi, ne peut agir sans la croyance implicite dans sa propre liberté.

Prenons maintenant le cs opposé : celui de la personne qui rejette l'hypothèse déterministe et qui est convaincue de la réalité d'une volonté libre. Pour elle, il est évidemment plus facile d'établir des rapports harmonieux entre ses émotions et sa raison, entre sa conscience et ses croyances. Ses croyances peuvent être erronées, et il se peut que chaque fois qu'elle croit agir librement elle ne fasse qu'obéir à une contrainte. Mais, dans ce cas, son refus de croire dans le déterminisme est un des facteurs qui déterminent son comportement. Elle peut seulement exécuter le plan établi pour elle, mais en démentant qu'il est préétabli. Le destin agit sur elle en se faisant refuser. Par conséquent, dans les deux cas, qu'une personne se croie, en raison, libre, ou qu'elle ne se croie pas telle, le résultat est le même : chacun agit, inconsciemment et émotionnellement, en s'appuyant sur l'affirmation de sa propre liberté.

Le même paradoxe s'applique à la société tout entière. Le but de l'historien, du psychologue, du sociologue est d'expliquer le comportement social grâce au jeu conjugué des effets et des causes, en débrouillant les forces conscientes et inconscientes qui sont derrière chaque action. Dans ce travail, leur attitude doit toujours être détachée, et ils doivent s'interdire tout jugement de valeur. Leur objet est, en effet, de définir et de mesurer, non de juger. Pourtant, les jugements moraux se glissent dans toutes nos réactions et déterminent le comportement social. La louange et le blâme, l'approbation et la désapprobation, qu'ils soient scientifiquement justifiés ou non, sont aussi essentiels à la vie normale de la société qu'à celle de l'individu. L'homme ne peut vivre privé de l'illusion qu'il est maître de son destin. Pas plus qu'il ne peut vivre privé de l'indignation morale qui le saisit quand il voit une petite brute gonfler un crapaud avec une pompe de bicyclette, ou une grande brute faucher les hommes par millions. Le fatalisme et la neutralité morale sont peut-être les seules philosophies vraies, mais ils sont aussi un démenti à l'effort pathétique et courageux de l'espèce humaine.

Là réside, par conséquent, le dilemme. La science enseigne que l'homme n'est pas plus libre dans son choix devant l'action qu'un robot — un robot infiniment complexe et subtil, mais un robot. Mais il ne peut s'empêcher de croire qu'il est libre. Bien plus, il ne peut fonctionner s'il ne le croit pas. Toutes les institutions humaines reflètent ce dilemme, et la loi, qui a pour objet de donner des règles au comportement humain, le reflète de la façon la plus vive comme un miroir concave. D'où la nature paradoxale de ce chapitre de la loi qui traite du problème le plus important: celui de la vie et de la mort.

Son absurdité provient de la notion de «responsabilité pénale». Un homme ne peut être tenu pour responsable de ses actions que si rien ne l'a poussé à les entreprendre, mais si, au contraire, il a choisi d'agir ainsi de par sa libre volonté. L'accusé est considéré comme innocent jusqu'à ce que la preuve de sa culpabilité soit faite, et la charge de la preuve incombe à l'accusation. Mais il est considéré comme responsable, c'est-à-dire comme disposant d'une volonté libre, *à moins qu'il ne soit prouvé qu'il n'est pas en possession de sa raison*. Dans ce cas, mais dans ce cas seulement, la charge de la preuve incombe à la défense. Il n'est même pas nécessaire de prendre la peine de montrer que les fumisteries archaïques de la procédure rendent cette preuve impossible à administrer, dans le cas notamment de faibles d'esprit ou des individus atteints de manie de la persécution. Cela n'est pas nécessaire parce que, même si la procédure était considérablement modifiée et améliorée, le paradoxe fondamental demeurerait: *l'accusé est considéré comme disposant d'une volonté libre, à moins que la défense ne prouve qu'il est soumis aux lois universelles de la nature.*

Ce paradoxe n'est pas limité à la loi sur la peine de mort. Mais pour toutes les autres lois, on peut trouver de faciles échappatoires. Le juge qui examine le cas d'un cambrioleur n'est pas obligé de résoudre l'insoluble question de savoir si ce cambrioleur dispose ou non d'une volonté libre. Il peut laisser de côté ce problème et juger chaque cas individuel selon ce qu'il mérite, avec la leçon de l'expérience et du sens commun, puisque dans tous les cas, *à l'exception de ceux où la peine de mort est en jeu*, le jugement est laissé à l'appréciation du tribunal. Par conséquent, il importe peu, dans les affaires qui n'entraînent pas nécessairement la peine de mort, que la notion de responsabilité pénale soit absurde, parce que ce problème n'affecte en rien le résultat. C'est pourquoi la défense fera rarement état de l'irresponsabilité mentale de l'accusé. Mais dans un procès pour meurtre, le châtiment n'est pas laissé à l'appréciation du tribunal. Dans ce cas, et c'est le seul qui se présente ainsi dans toute la législation pénale, le châtiment est strictement fixé par la loi. Quand un homme est jugé et que sa vie est en jeu, le postulat abstrait de la liberté de la volonté prend une signification pratique : il devient la corde qui doit lui briser la nuque.

2

Cependant, ainsi que nous l'avons vu, la croyance dans la liberté, pour illusoire qu'elle soit, est nécessaire et utile au fonctionnement de la société. Ne s'ensuit-il pas que la loi est alors justifiée à adopter cette notion utile et à fonder sur elle celle de responsabilité pénale ? La réponse est que la volonté libre existe ou n'existe pas, mais ce qui est sûr, c'est que la sorte de volonté libre qu'implique la loi est en contradiction avec elle-même, qu'elle n'est admissible pour aucun homme de science, pour aucun philosophe et pour aucun théologien, s'ils ont un grain de logique dans la cervelle.

Le mot « liberté » ne peut être défini que négativement. Il signifie toujours le contraire d'une contrainte quelconque. Les physiciens disent que les molécules de gaz ont davantage de « degrés de liberté » que les molécules de liquides, lesquels en ont davantage que les molécules de solides. Des distinctions du même ordre peuvent être faites entre les divers degrés de la liberté personnelle et de la liberté politique, de la liberté de la presse, etc. La physique moderne en est venue à attribuer aux composants de certains types d'atomes une liberté qui signifie seulement qu'ils ne tombent pas sous la contrainte des lois de causalité qui gouvernent le comportement des corps plus étendus. Il semble, en effet, qu'aucune des lois connues qui gouvernent notre monde familier, macroscopique, n'agit sur le fait qu'un atome radioactif va ou non se partager. Pourtant, cette liberté n'est pas absolue. Si le comportement des atomes radioactifs ne dépendait d'aucune loi, le monde ne serait pas le cosmos, mais le chaos. En fait, bien qu'ils disposent d'une certaine liberté, dans le sens que nous venons d'indiquer, le nombre total d'atomes qui se partagent dans une quantité donnée de matière radioactive est strictement déterminé à tout moment. À tel point que les géologues mesurent l'âge des terrains et des fossiles, des météores et de la terre elle-même, en mesurant la quantité de radioactivité perdue de ces objets. La disparition du type classique de déterminisme causal dans la physique moderne a simplement conduit à son remplacement par un type nouveau de déterminisme statistique.

Là encore, liberté ne signifie que liberté d'échapper à une sorte de contrainte, et non pas liberté absolue, ce qui signifierait hasard et chaos. Aussi, lorsque nous parlons de «liberté de la volonté», il nous faut immédiatement demander: «Liberté d'échapper à quoi?» *La liberté impliquée par la loi pénale signifie la liberté qui permet d'échapper aux déterminations de l'hérédité et du milieu social.* Cela veut dire, si l'on reprend les termes de Sidgwick, que l'action intentionnelle du sujet n'est pas déterminée par le caractère et les circonstances : « Il n'existe de volonté libre que si notre volition est sans cause. »

Mais un monde où chaque homme accomplirait à tout moment des actes sans causes et inexplicables, et recevrait peine pour les uns, gloire pour les autres, un monde où la libre volonté serait toute-puissante, ce monde ne serait qu'une absurdité logique, une histoire racontée par un fou. Ce serait plus effrayant encore que l'homme-robot dans son univers-horloge, comme le dépeint le déterministe : du moins s'agit-il là d'une histoire racontée par un ingénieur.

Si nous nions que les actions humaines sont déterminées par des causes d'ordre matériel, ou bien nous devons leur substituer des causes d'un autre ordre, ou bien renoncer à expliquer quoi que ce soit. La négation d'un ordre de causes naturelles crée un vide qui ne peut être rempli que par l'hypothèse d'un ordre de causes surnaturelles ou supranaturelles. En bref, *le concept de la responsabilité criminelle implique l'existence d'un ordre surnaturel : ce n'est pas un concept juridique, c'est un concept théologique.*

Pour la clarté de la chose, quittons cette discussion abstraite et prenons des exemples concrets. Quand nous disons : « Cet homme est coupable », il s'agit d'une formule qui peut toujours être traduite par : « L'effort n'a pas été assez grand. » Si seulement il s'était donné plus de mal, s'il avait fait un plus grand effort, pour agir ou pour s'empêcher d'agir, il ne serait pas coupable.

On ne devient coupable que de deux manières : par un effort positif insuffisant ou par un effort négatif insuffisant. L'effort positif est nécessaire dans toutes les situations où l'individu risque de se laisser aller à la passivité, par indolence, fatigue ou manque de force vitale. L'étudiant rate son examen parce qu'il ne s'est pas « concentré suffisamment ».

On devient esclave faute de résister à la tyrannie. On perd sa situation parce qu'on n'en a pas «mis un coup». L'alpiniste meurt gelé parce qu'il ne s'est pas assez efforcé de rester éveillé. Dans tous ces cas, l'individu est jugé — et se juge — coupable en raison de l'hypothèse, improuvée et improuvable, qu'il *aurait pu* faire un plus grand effort que celui qu'il a fait, qu'*il disposait d'une réserve d'énergie psychique dont il n'a pas usé.*

Le type de faute le plus commun résulte du fait qu'on n'a pu réussir à étouffer une impulsion coupable, à résister à la tentation ou à la provocation. On ne fait aucune différence entre celui qui est entraîné au crime parce que ses désirs instinctifs sont développés à l'excès ou pervertis, ou parce que ses mécanismes de contrôle de soi sont défectueux. On peut dire, en gros, que le sadique et le délinquant sexuel appartiennent à la première catégorie, l'amoral, le toxicomane et l'alcoolique, à la seconde. Mais, que la faute provienne d'un excès de vapeur ou d'un défaut de freins, la loi affirme, et après elle le pécheur repenti affirme de même, qu'il y avait en lui une réserve d'effort inentamée, un stock de freins qu'il n'a pas su trouver ou dont il ne s'est pas servi.

Comparons ces affirmations sur les «efforts de volonté» aux affirmations dont nous sommes coutumiers concernant les «efforts corporels». Nous savons qu'un moteur n'est capable de produire qu'un nombre limité de chevaux-vapeur, et que toute personne, fût-ce un athlète ou un haltérophile, ne peut produire qu'une quantité d'énergie limitée et bien définie. Un homme peut retenir sa respiration pendant tant de secondes, et pas davantage. Il peut rester suspendu par un doigt au-dessus d'un précipice pendant tant de secondes, et pas davantage. Et si la loi du royaume de Ruritania stipulait qu'un homme est coupable s'il ne peut porter sur son dos un poids de cent kilos, nous dirions qu'il s'agit là d'une loi stupide et barbare. Une personne qui se trouve en danger de mort pourra accomplir des performances physiques dont elle serait incapable dans des circonstances normales, et cela pourra sembler miraculeux. Mais nous savons que la cause de ces prodiges n'est que la surexcitation de ses glandes surrénales provoquée par la rage ou la peur, et que l'adrénaline diffusée à la suite de cette surexcitation par la circulation sanguine apporte une énergie supplémentaire aux muscles, sous forme de glucose. On obtiendrait les mêmes résultats par une injection d'adrénaline, ou d'une autre drogue, dans les veines du sujet. Il s'agit là d'un processus physiologique qui n'a rien de mystérieux. Et de plus, l'effort supplémentaire ainsi rendu possible a ses propres limites.

Nous disposons de méthodes pour mesurer les possibilités physiques d'un homme. Si elles se trouvent être inférieures à un certain niveau, cet homme sera dispensé du service militaire ainsi que de certains travaux manuels, mais nous ne songerions pas à le blâmer ou à le punir pour de telles infériorités. Nous n'attendons pas du daltonien qu'il «prenne sur soi» et qu'il se mette à voir les couleurs comme tout le monde, mais nous prétendons qu'un homosexuel pourrait éprouver du penchant pour l'autre sexe, s'il se donnait seulement un peu plus de mal.

Les relations réciproques du corps et de l'esprit posent un problème extrêmement complexe. Il n'est même pas sûr que nous ayons raison de faire, au départ, une semblable distinction. Cependant, nous appliquons des critères différents, et même opposés, aux jugements que nous portons sur les efforts accomplis par le corps ou par l'esprit. Nous reconnaissons que les ressources physiques d'un individu sont limitées, mais nous affirmons que son pouvoir de volition ne peut être sujet à aucune limitation quantitative. Nous savons qu'un homme ne peut ébranler une montagne, mais nous affirmons qu'il peut «faire», autrement dit fabriquer, un effort «moral» sans limites, comme s'il était pourvu d'une quantité illimitée d'adrénaline spirituelle. De plus, il est bien entendu que la question de savoir s'il aura recours ou non à cette source supplémentaire d'énergie spirituelle ne trouvera en aucun cas sa réponse dans la force que donne à l'individu son propre passé, ou dans les incitations qu'il en reçoit, sinon nous retomberions dans l'univers-horloge du déterminisme. Par conséquent, dire que l'accusé *aurait dû* faire un plus grand effort pour s'empêcher d'agir comme il l'a fait revient à dire qu'un individu donné, dans des circonstances données, est libre de réagir selon plus d'une manière. Et cela signifie que la manière dont il réagira ne dépend ni des circonstances ni de lui. Cela implique l'existence d'un «X», qui se trouve au-delà du temps et de la causalité, au-delà de l'ordre de la nature. C'est donc bien, comme je le disais, une question qui ne peut intéresser le juriste, mais qui concerne le théologien.

Quand le Lord Chief Justice dit d'un maniaque comme Ley qu'il suffit qu'il sache distinguer le bien du mal pour «faire sa paix avec le Seigneur», il interprète correctement la loi. En affirmant que les actions de l'homme ne sont pas déterminées par son hérédité et son éducation, la loi lui accorde le bénéfice d'une volonté libre. Et puisque liberté ne signifie pas arbitraire ou hasard, la loi affirme en même temps que cette volonté exprime de quelque façon la volonté de Dieu. Pourquoi cette volonté a créé les brutes qui étranglent les petits enfants, c'est un casse-tête pour le théologien, non pour le juge.

D'accord. Cependant, décider, en vertu de n'importe quel test ou de n'importe quelle règle que, dans certains cas, le criminel a obéi aux injonctions de ses glandes endocrines et qu'il doit être épargné, tandis que, dans un autre cas, il n'a fait qu'user de sa liberté métaphysique, n'étant ainsi que l'instrument d'un dessein supérieur, et qu'il doit alors être pendu, tout cela semble assez arbitraire.

Le dilemme entre la liberté et la prédestination est l'essence de la condition humaine. La loi évite les difficultés suscitées par ce dilemme en laissant au tribunal le choix pour chacun de ses jugements. La seule exception, excluant toute possibilité de compromis raisonnable, est précisément le cas où la question de la peine de mort est en jeu. Ce qui est insoutenable, sur le plan de la logique, et condamnable, sur le plan de la morale[1].

---

1. J'ai pris soin d'exposer la position du déterminisme et des partisans du libre arbitre avec autant d'objectivité que possible. Mais quand un écrivain s'aventure en de tels domaines, il ne serait pas honnête de sa part de cacher ses propres convictions. Je voudrais les exposer, aussi rapidement que possible, dans cette note, car je n'entends essayer de persuader personne et elles n'affectent en rien la discussion. Je pense que l'idée d'une volonté libre est une notion fantastique, mais aussi que l'homme est une créature fantastique. Je crois en l'existence impossible à prouver d'un «X»: un ordre de réalité au-delà de toute causalité, et sur la nature duquel il ne peut être fait que des déclarations négatives; en ce sens que, dans son domaine, le présent n'est pas déterminé par le passé. En effet, si les déterminations y étaient semblables à celles de notre monde, nous retomberions dans l'univers-machine. Mais un présent qui n'est pas déterminé par le passé est une condition nécessaire et suffisante pour une expérience de liberté relative, non pas la liberté de l'anarchie et de l'arbitraire, mais un ordre fondé sur le concept niant le temps qu'est celui de la création continue. La création continue, conception d'origine théologique, postule que le monde n'a pas été créé une fois pour toutes par un acte semblable à celui qui consiste à remonter une horloge, mais est continuellement créé, de même que, selon une des théories de la physique

V

Lord Goddard
et le Sermon sur la Montagne

ou

Suite à une philosophie de la potence

1

Après cette excursion métaphysique, revenons sur la terre et à M. Albert Pierrepoint. Toute peine est supposée avoir trois objets : le châtiment, la protection de la société par sa valeur d'exemple et l'amendement du criminel. Examinons maintenant quelle conséquence la controverse sur le libre arbitre peut avoir sur chacun de ces points.

Nous commencerons par l'exemplarité, puisqu'on admet qu'il s'agit là du principal objet de la peine. Déjà cette attitude montre que les tendances actuelles vont dans le sens du point de vue déterministe. En effet, elle signifie que la crainte de la peine capitale agit comme mobile d'action, ce qui ne peut être admis que si l'on affirme en même temps que l'influence du milieu joue au moins pour une part

moderne, la matière est continuellement créée dans l'espace interstellaire. S'il en était ainsi, l'expérience de la liberté, la possibilité de faire un choix, influencé sans doute, mais non strictement déterminé par l'hérédité et le milieu, seraient le reflet subjectif d'un processus objectif niant le temps et injectant, en quelque sorte, la responsabilité morale au sein de l'édifice amoral de la nature.

dans la décision du criminel. Si sa volonté était parfaitement libre, la menace serait sans effet.

Mais cet argument n'a d'autre intérêt qu'académique, pour montrer que d'inconscientes hypothèses déterministes conduisent les raisonnements mêmes des défenseurs de la peine de mort. Cela dit, la question de savoir si nous nous plaçons à côté des partisans d'un triste univers-robot ou, au contraire, avec ceux qui affirment l'existence d'un monde mystique de liberté et de responsabilité morales, n'a aucun rapport avec l'exemplarité. Les faits démontrant que la peine de mort est un procédé plus discutable, pour faire un exemple, mais non plus efficace que ses substituts, sont aussi frappants pour le déterministe que pour le mystique.

Mais en ce qui concerne les deux autres résultats recherchés, c'est-à-dire le châtiment et l'amendement, la controverse sur le libre arbitre s'applique. Pour plus de facilité, nous examinerons ensemble ces deux problèmes.

De nos jours, même parmi les partisans de la peine de mort, la plupart des hommes se refusent à admettre qu'ils sont conduits par un désir de vengeance à l'encontre du criminel. En dépit de ces dénégations, la recherche du châtiment en soi est un mobile si puissant — bien qu'inconscient — qu'il en arrive à rendre confus les autres résultats attendus de la peine. Les arguments populaires : « Il mérite d'être pendu », ou : « Que messieurs les assassins commencent ! » ont des échos puissants et durables.

Du point de vue du déterminisme, se venger d'un être humain est aussi absurde que se venger d'une machine. S'il m'arrive d'avoir le désir soudain et stupide de frapper à coups de poing le capot de ma vieille voiture quand elle tombe en panne, je sais qu'il serait plus logique de me colleter avec le mécanicien de mon garage, son contremaître, voire avec le président du conseil d'administration de la société qui l'a construite. Si, conduit par un désir de vengeance, nous punissons le criminel, alors il nous faut aussi punir son père alcoolique, sa mère trop indulgente qui l'a fait tel qu'il est, et aussi — pourquoi pas ? — ses grands-parents, et ainsi de suite, le long de la chaîne des causalités, jusqu'au serpent du paradis terrestre. Car tous, et avec eux les professeurs, les patrons et la société tout entière, se sont rendus complices du criminel, en l'aidant ou en l'incitant à agir comme il l'a fait, longtemps avant qu'il se décide à agir. La désapprobation, le châtiment, la vengeance n'ont pas leur place dans le vocabulaire du déterministe. Celui-ci ne peut blâmer que l'univers tout entier, et les lois de la nature qui le gouvernent.

Si, en revanche, nous acceptions l'hypothèse de la liberté humaine, avec toutes les conséquences religieuses que cela comporte nécessairement, la vengeance apparaît non plus comme un péché contre la logique, mais comme un péché contre l'esprit. Car si le meurtrier n'est pas simplement un robot détraqué mais l'exécutant d'un mystérieux dessein, alors nous sommes dans un domaine que la justice humaine ne peut atteindre. Si l'on considère que l'homme n'est que le réceptacle, bon ou mauvais, d'une volonté qui se situe au-delà des causes naturelles, nul n'a le droit de briser le flacon sous prétexte que le vin est mauvais. Si le meurtre des enfants, ou simplement leur mort dans une épidémie, découle des desseins suprêmes, c'est donc que le meurtrier ne peut être frappé par la vengeance, pas plus que le virus de la poliomyélite, l'un et l'autre étant l'aboutissement des mêmes voies insondables. Toutes les religions, tous les systèmes métaphysiques ont à affronter le problème du mal, c'est-à-dire le fait que le mal ait été inclus dans l'éternel dessein. Aucune réponse satisfaisante n'a encore été donnée à cette question ; aucune, vraisemblablement, ne sera jamais trouvée. La loi suppose que l'homme est libre et responsable dans ses actions : elle renvoie aux théologiens la question de savoir pourquoi Dieu a donné à l'homme une liberté qui lui permet de choisir le mal, et les théologiens ne savent quoi dire. La liberté humaine a été un des principaux problèmes de la théologie médiévale, chaque secte lui donnant une réponse différente. Les unes prétendaient que la toute-puissance divine équivalait à un « déterminisme par prédestination », c'est-à-dire que les automates humains agissent dans le champ de la prévision et de la préméditation divines. D'autres enseignaient que Dieu a donné à l'homme juste assez de corde pour, à son choix, se pendre ou grimper jusqu'au paradis, ce qui, toutefois, n'allait pas sans contredire la notion de l'omniprésence divine. Mais en fin de compte, s'il ne peut y avoir de réponse définitive au défi qu'oppose à l'homme l'existence du mal, la vengeance est la réponse la plus frivole en même temps que la négation de l'essence même du christianisme.

« Œil pour œil, dent pour dent » était la loi d'Israël, au temps de l'âge du bronze. C'était une loi conforme aux conditions de vie de l'époque, et c'est encore la loi des nomades primitifs dans le désert. Cette loi a été répudiée dans le Sermon sur la Montagne, répudiée par Israël lui-même qui a aboli la peine de mort le jour où il a recouvré sa souveraineté nationale. La justice du talion, dans sa forme orthodoxe, ne survit de nos jours que dans les codes qui règlent les vendettas entre bandits siciliens ou entre gangsters.

Ce ne fut pas par accident que l'Église primitive répudia la loi du sang : cette mesure venait du tréfonds de l'enseignement du Christ. Celui-ci ne justifie le châtiment qu'autant qu'il a pour objet d'amender le criminel, et pose qu'aucun être humain ne se trouve en dehors de la Rédemption. Dans l'ancienne loi mosaïque, la peine de mort ne punissait pas seulement le crime, mais aussi la non-observance du sabbat, le commerce des esclaves, le blasphème, l'insulte aux parents, l'adultère, ainsi que nombre d'autres offenses à la loi : de fait, la situation à cet égard, avant celle que créa la nouvelle Alliance, peut être comparée, *mutatis mutandis*, à celle qui régnait en Angleterre au début du XIXᵉ siècle, telle qu'elle avait été fixée par les décisions de Lord Ellenborough. L'évêque qui, en 1810, défendait le Code sanguinaire employait des arguments semblables à ceux que les pharisiens élevèrent contre Jésus, et les pasteurs assoiffés de sang n'avaient rien perdu de leur ardeur lors du débat de la Chambre des lords en 1948. Dickens les connaissait bien, qui écrivait :

Même si tous les hommes qui se servent d'une plume se changeaient en commentateurs des Écritures, leurs efforts communs ne parviendraient pas à me convaincre que la peine de mort est une mesure chrétienne... S'il existait un texte qui justifiât cette prétention, je regretterais l'autorité d'un tel fragment pour m'en tenir à l'enseignement que donne la personne même du Rédempteur et au sens profond de Sa religion.

L'Église primitive était si fermement opposée à la peine de mort que l'empereur Justinien dut interdire aux chrétiens certains emplois administratifs parce que «leur loi les empêche d'employer l'épée contre les criminels passibles de la peine de mort».

Celui qui a probablement donné à ce problème son expression la plus claire, c'est saint Augustin, libertin et pécheur repenti, devenu saint sans doute, mais sans pour autant perdre le sens de l'humour — qu'on se rappelle son fameux : «Accordez-moi la chasteté, mais pas maintenant.» Des donatistes, membres d'une secte africaine hérétique, ayant confessé le meurtre d'un chrétien, saint Augustin, avec son ami Marcellinus, demanda que la peine de mort ne fût pas infligée aux meurtriers :

Nous ne souhaitons pas que les souffrances des serviteurs de Dieu soient vengées en infligeant, par voie de représailles, des torts semblables à ceux qu'ils ont causés. Ce n'est pas, évidemment, que nous voyions une objection au fait que ces hommes mauvais se voient privés de la liberté de perpétrer d'autres forfaits, mais nous désirons que la justice soit satisfaite sans qu'il soit porté atteinte à leurs vies et à l'intégrité de leurs corps; et que, par telles mesures de coercition que la loi ait prévues, ils soient arrachés à leur frénésie démente, afin que soit respectée la paix des hommes sains d'esprit, qu'ils soient contraints de renoncer à leurs violences malfaisantes et obligés, en même temps, de se consacrer à des travaux utiles.

Ce passage rend un son curieusement actuel, presque comme s'il avait été écrit par un membre de la Ligue pour la réforme du système pénal. Les adversaires de saint Augustin lui opposèrent un argument qu'ils avancent encore de nos jours : que les temps étaient trop troublés pour se livrer à une expérience aussi audacieuse. Saint Augustin vécut de 354 à 430, en Afrique.

En résumé, la vengeance comme fondement de la peine de mort est absurde du point de vue déterministe, et indéfendable du point de vue de la liberté humaine. Cependant, s'il est aisé à rejeter en raison, qu'on se place sur le terrain de la logique ou sur celui de la morale, le désir de vengeance est profondément enraciné dans l'inconscient, et il se réveille chaque fois que nous éprouvons avec quelque violence un sentiment d'indignation ou de répulsion, même si notre raison le désapprouve. Cette réalité psychologique est généralement passée sous silence par la propagande abolitionniste, et pourtant il faut bien l'accepter comme telle. Admettre que même des abolitionnistes convaincus ne sont pas à l'abri d'occasionnelles impulsions vindicatives ne signifie pas que de telles impulsions doivent être sanctionnées par la loi, pas plus que ne sont sanctionnés les autres instincts coupables qui font partie de notre hérédité biologique. Au fond de chaque homme civilisé se tapit un petit homme de l'âge de pierre, prêt au vol et au viol, et qui réclame à grands cris un œil pour un œil. Mais il vaudrait mieux que ce ne fût pas ce petit personnage habillé de peaux de bêtes qui inspirât la loi de notre pays.

2

Le problème de la liberté humaine concerne encore la loi criminelle d'une autre manière, bien que ce soit indirectement. L'humanisation graduelle du système pénal — tribunaux pour enfants, libération conditionnelle ou sur parole, « prisons ouvertes », etc. — est due aux connaissances croissantes que nous avons acquises sur les origines sociales de la criminalité, sur l'influence qu'exercent l'hérédité et le milieu sur le criminel, sur les déterminations profondes du comportement humain. Mais, en même temps, il n'est pas facile de se passer du principe de la responsabilité du criminel, qui implique celui d'une volonté libre. La seule voie qui nous soit offerte pour sortir de ce dilemme consiste, comme nous l'avons vu, à nous débrouiller comme nous pourrons ; peu ou prou, c'est bien ce qu'essaient de faire les tribunaux de ce pays, en se montrant indulgents quand il existe un espoir raisonnable d'amendement pour le coupable, en tenant compte de circonstances atténuantes, et en essayant de proportionner la peine à la faute. Une seule exception : la loi sur les crimes passibles de mort qui, par sa rigidité, rend impossible tout compromis, et qui interdit au tribunal de tenir compte de circonstances qui, dans tous les autres cas, seraient considérées comme atténuantes et entreraient en ligne de compte dans la fixation de la peine. C'est ainsi qu'un tribunal peut décider qu'un individu sera confié à un établissement psychiatrique, s'il le considère comme fou, plutôt que de le condamner. Il le pourra en toutes circonstances, sauf si l'individu en question est passible de la peine de mort. Si un individu mentalement déficient « est accusé de meurtre, et si le jury est convaincu qu'il a bien commis l'acte dont il est accusé, le jury n'aura d'autre choix que de le déclarer coupable de meurtre, et le juge sera tenu de prononcer la peine capitale[1] ». La même mesure s'applique à ceux qui tuent par pitié ainsi qu'au survivant d'un « suicide à deux ». Il arrive, Dieu merci, que ces individus soient graciés ; mais, avant qu'une telle mesure soit prise, le juge doit couvrir sa tête d'un voile noir et prononcer les terribles phrases.

Le rapport de la Commission royale insiste sans cesse sur l'inhumanité de la loi sur la peine de mort.

---

1. *Rapport de la Commission royale sur la peine de mort*, p. 606.

Il insiste sur le caractère odieux du fait que le seul espoir que peut nourrir un individu dont il est prouvé qu'il est épileptique, faible d'esprit, sujet aux hallucinations ou à tout autre trouble psychique, ne repose pas dans la loi mais dans le bon vouloir du ministre de l'Intérieur :

Telle est la conséquence normale d'une loi dont le défaut fondamental est de ne permettre que le prononcé automatique d'une seule sentence pour un crime qui peut comporter tant de diversité dans son aspect comme dans la responsabilité qu'il entraîne... La rigidité de la loi qui prive le tribunal de toute possibilité de choisir le jugement qu'il prononce ne peut être corrigée que par le pouvoir exécutif, c'est-à-dire le ministre de l'Intérieur.

Et encore :

Le défaut exceptionnel de la loi sur le meurtre est qu'elle ne prévoit qu'un seul châtiment pour un crime où la responsabilité peut varier dans des proportions notables.

Les membres de la commission ont prévu différentes réformes qui pourraient être appliquées afin de rendre plus souple la loi sur le meurtre, et qui permettraient aux tribunaux d'agir selon le sens commun et la simple humanité, comme ils le font en jugeant les autres crimes. Mais ils ont montré qu'ils se rendaient compte que des réformes de détails ne pourraient atteindre le cœur du problème et qu'« on en est désormais arrivé à un point où il ne reste guère de place pour de nouvelles limitations sans poser le problème même de l'abolition ». Ils n'ont proposé, en fait, qu'une seule mesure dont l'adoption conduirait, non à une réforme de la loi, mais à sa négation : ils ont proposé que ce soit le jury qui ait à décider, sans contrôle, si un individu

jugé coupable se verra ou non infliger la peine prévue par la loi.

Nous en sommes arrivés à la conclusion que, si la peine
de mort doit être maintenue, et si, en même temps, les
défauts de la loi actuelle doivent être corrigés, il n'existe
pas d'autre moyen que celui-là pour atteindre ce double
but... Nous reconnaissons que les inconvénients d'un système accordant de tels pouvoirs au jury peuvent être jugés
plus grands que ses avantages. Si cette dernière opinion
devait prévaloir, il en faudrait tirer la conclusion que nous
en sommes arrivés à un point où il ne reste presque plus
rien à faire pour limiter les cas d'application de la peine
capitale, et que le vrai problème consiste à savoir si cette
peine doit être maintenue ou abolie.

La raison pour laquelle la loi prévoyant la peine de
mort ne peut être modifiée est simple. Elle ne pourrait être modifiée qu'au prix d'un démenti absolu
au principe de la responsabilité du criminel. C'est-
à-dire qu'il faudrait admettre des notions telles que
celle de «l'impulsion irrésistible» ou de la «responsabilité diminuée». C'est-à-dire qu'il faudrait légali-
ser le déterminisme. Une telle nécessité ne s'impose
pas quand il s'agit des autres crimes, du fait de la suffisante souplesse de la loi. Cependant, même en bou-
leversant les conceptions fondamentales de la loi,
dans le seul objet de rendre la loi sur la peine de mort
un peu moins barbare, les contradictions qu'elle
comporte demeureraient entières. Comme les fron-
tières entre la «responsabilité» et l'«irresponsabilité» sont fluides, problématiques et obscurcies par
des considérations métaphysiques, il serait arbitraire
de confier à une définition juridique le soin d'un tel
tracé. Et comme il est impossible de dire avec précision à quel moment un homme a agi librement et doit
mourir, à quel moment il a agi sous la contrainte et

garde le droit de vivre, la seule solution consiste à ramener la loi sur la peine de mort au niveau des autres lois, en éliminant le châtiment qu'elle prévoit, puisque seul, il est fixé à l'avance, interdit toute gradation et ne laisse le choix qu'entre tout ou rien.

Mais c'est précisément cette rigidité qui rend la peine de mort si précieuse aux yeux des réactionnaires du monde judiciaire, et c'est en raison de ce défaut même qu'ils veulent à tout prix la maintenir. Car la peine de mort est le symbole et le rempart d'une antique conception de la justice : si elle s'écroule, tout suivra. C'est ce que le Lord Chief Justice a clairement exprimé dans les arguments qu'il a employés pour s'opposer à tout assouplissement de la loi sur la peine de mort, assouplissement qui aurait notamment apporté l'introduction de notions telles que celles de «responsabilité atténuée» ou d'«impulsion irrésistible». Ces réactionnaires savent très bien que des notions de cet ordre seraient un cheval de Troie qui, une fois introduit dans la forteresse de la loi, y provoquerait un terrible ravage. C'est pourquoi Lord Goddard déclara aux membres de la Commission royale :

Une fois que vous aurez admis la doctrine de l'impulsion irrésistible, je ne vois pas, en ce qui me concerne, où vous pourrez vous arrêter. Je pense qu'on néglige ce fait que si vous admettez l'excuse de l'impulsion irrésistible, vous ne pourrez pas en limiter l'application au meurtre, mais il vous faudra l'admettre dans toutes les causes... Allez-vous vraiment prétendre que cette doctrine de l'impulsion irrésistible doit être admise de bon gré par la loi pénale ? Je me rappelle cette vieille histoire du juge auquel un inculpé déclarait qu'il était atteint d'une maladie appelée kleptomanie. «C'est précisément ce genre de maladie que mon métier m'appelle à guérir», répondit le juge.

De la même manière, Lord Goddard rejeta une proposition selon laquelle la gravité de la provocation devait être jugée par rapport au caractère et au tempérament de l'individu provoqué, plutôt que de s'en rapporter au critère de «l'homme normal»:

Si vous permettez de discuter la question de savoir de quelle façon tel individu particulier a été provoqué, eh bien! vous pouvez être sûr que chacun prouvera et trouvera des amis pour prouver qu'il est une personne particulièrement irritable, et vous entrez ainsi dans des considérations qui ne s'appliquent à aucune autre loi.

C'est exact. Mais les autres lois n'obligent pas à pendre les gens, ce qui, après tout, est une considération dans laquelle on peut bien entrer. Imaginez quels dégâts cela ferait si l'on admettait d'entendre des témoins qui viendraient dire que l'individu qui est dans le box est, en effet, une personne irritable, et qu'il n'est pas toujours en possession de sa raison! L'argument de Lord Goddard se résume ainsi: si nous cessons de pendre des meurtriers, sous le prétexte qu'ils ont agi sous l'effet d'une contrainte intérieure, les juges vont être encouragés à appliquer des critères identiques à des délinquants qui auront agi sous la pression de forces mentales identiques. Si le bourreau n'est plus considéré comme le médecin naturel des déficiences mentales, alors le «juge d'autrefois» n'est peut-être plus le médecin naturel des kleptomanes. Il existe, hélas! des juges d'aujourd'hui, des magistrats et des jurés qui, méprisant les enseignements de Coke et de M'Naghten, tiennent compte, pour décider du poids de la peine, des facteurs sociaux et des contraintes psychiques. Heureusement, ce danger n'existe plus dès qu'il est question d'un individu passible de la peine de mort:

le jury ne peut rien diminuer de la longueur de la corde, non plus qu'il ne peut étrangler sur parole ou briser la nuque avec sursis.

Résumons. Les défauts de la loi sur la peine de mort sont irrémédiables, parce que la peine de mort se fonde sur une conception philosophique de la responsabilité qui ne souffre de compromis avec aucun des points de vue déterministes admis dans les autres tribunaux. En ce qui concerne tous les autres délits ou crimes, l'administration de la loi est souple : la peine de mort exclut, par sa nature même, toute possibilité de proportionner le châtiment à la responsabilité. Cette rigidité et l'intention dont elle procède, qui sont l'essence de la peine capitale, sont en même temps les sources de son attrait et de sa valeur symbolique pour toutes les forces antiprogressistes de la société.

ALBERT CAMUS

Réflexions
sur la guillotine

Peu avant la guerre de 1914, un assassin dont le crime était particulièrement révoltant (il avait massacré une famille de fermiers avec leurs enfants) fut condamné à mort en Alger. Il s'agissait d'un ouvrier agricole qui avait tué dans une sorte de délire du sang, mais avait aggravé son cas en volant ses victimes. L'affaire eut un grand retentissement. On estima généralement que la décapitation était une peine trop douce pour un pareil monstre. Telle fut, m'a-t-on dit, l'opinion de mon père que le meurtre des enfants, en particulier, avait indigné. L'une des rares choses que je sache de lui, en tout cas, est qu'il voulut assister à l'exécution, pour la première fois de sa vie. Il se leva dans la nuit pour se rendre sur les lieux du supplice, à l'autre bout de la ville, au milieu d'un grand concours de peuple. Ce qu'il vit, ce matin-là, il n'en dit rien à personne. Ma mère raconte seulement qu'il rentra en coup de vent, le visage bouleversé, refusa de parler, s'étendit un moment sur le lit et se mit tout d'un coup à vomir. Il venait de découvrir la réalité qui se cachait sous les grandes formules dont on la masquait. Au lieu de penser aux enfants massacrés, il ne pouvait plus penser qu'à ce corps pantelant qu'on venait de jeter sur une planche pour lui couper le cou.

Il faut croire que cet acte rituel est bien horrible pour arriver à vaincre l'indignation d'un homme simple et droit et pour qu'un châtiment qu'il estimait cent fois mérité n'ait eu finalement d'autre effet que de lui retourner le cœur. Quand la suprême justice donne seulement à vomir à l'honnête homme qu'elle est censée protéger, il paraît difficile de soutenir qu'elle est destinée, comme ce devrait être sa fonction, à apporter plus de paix et d'ordre dans la cité. Il éclate au contraire qu'elle n'est pas moins révoltante que le crime, et que ce nouveau meurtre, loin de réparer l'offense faite au corps social, ajoute une nouvelle souillure à la première. Cela est si vrai que personne n'ose parler directement de cette cérémonie. Les fonctionnaires et les journalistes qui ont la charge d'en parler, comme s'ils avaient conscience de ce qu'elle manifeste en même temps de provocant et de honteux, ont constitué à son propos une sorte de langage rituel, réduit à des formules stéréotypées. Nous lisons ainsi, à l'heure du petit déjeuner, dans un coin du journal, que le condamné « a payé sa dette à la société », ou qu'il a « expié », ou que « à cinq heures, justice était faite ». Les fonctionnaires traitent du condamné comme de « l'intéressé » ou du « patient », ou le désignent par un sigle : le CAM. De la peine capitale, on n'écrit, si j'ose dire, qu'à voix basse. Dans notre société très policée, nous reconnaissons qu'une maladie est grave à ce que nous n'osons pas en parler directement. Longtemps, dans les familles bourgeoises, on s'est borné à dire que la fille aînée était faible de la poitrine ou que le père souffrait d'une « grosseur » parce qu'on considérait la tuberculose et le cancer comme des maladies un peu honteuses. Cela est plus vrai sans doute de la peine de mort, puisque tout le monde s'évertue à n'en parler que par euphémisme. Elle est au corps politique ce que le cancer est au corps individuel, à cette différence près que personne n'a jamais parlé de la nécessité du cancer. On n'hésite pas au contraire à présenter communément la peine de mort comme une regrettable nécessité, qui légitime donc que l'on tue, puisque cela est nécessaire, et qu'on n'en parle point, puisque cela est regrettable.

Mon intention est au contraire d'en parler crûment. Non par goût du scandale, ni je crois, par une pente malsaine de nature. En tant qu'écrivain, j'ai toujours eu horreur de certaines complaisances ; en tant qu'homme, je crois que les aspects repoussants de notre condition, s'ils sont inévitables, doivent être seulement affrontés en silence. Mais lorsque le silence, ou les ruses du langage, contribuent à maintenir un abus qui doit être réformé ou un malheur qui peut être soulagé, il n'y a pas d'autre solution que de parler clair et de montrer l'obscénité qui se cache sous le manteau des mots. La France partage avec l'Espagne et l'Angleterre le bel honneur d'être un des derniers pays, de ce côté du rideau de fer, à garder la peine de mort dans son arsenal de répression. La survivance de ce rite primitif n'a été rendue possible chez nous que par l'insouciance ou l'ignorance de l'opinion publique qui réagit seulement par les phrases cérémonieuses qu'on lui a inculquées. Quand l'imagination dort, les mots se vident de leur sens : un peuple sourd enregistre distraitement la condamnation d'un homme. Mais qu'on montre la machine, qu'on fasse toucher le bois et le fer, entendre le bruit de la tête qui tombe, et l'imagination publique, soudain réveillée, répudiera en même temps le vocabulaire et le supplice.

Lorsque les nazis procédaient en Pologne à des

exécutions publiques d'otages, pour éviter que ces otages ne crient des paroles de révolte et de liberté, ils les bâillonnaient avec un pansement enduit de plâtre. On ne saurait sans impudeur comparer le sort de ces innocentes victimes à ceux des criminels condamnés. Mais, outre que les criminels ne sont pas les seuls à être guillotinés chez nous, la méthode est la même. Nous étouffons sous des paroles feutrées un supplice dont on ne saurait affirmer la légitimité avant de l'avoir examiné dans sa réalité. Loin de dire que la peine de mort est d'abord nécessaire et qu'il convient ensuite de n'en pas parler, il faut parler au contraire de ce qu'elle est réellement et dire alors si, telle qu'elle est, elle doit être considérée comme nécessaire.

Je la crois, quant à moi, non seulement inutile, mais profondément nuisible et je dois consigner ici cette conviction, avant d'en venir au sujet lui-même. Il ne serait pas honnête de laisser croire que je suis arrivé à cette conclusion après les semaines d'enquêtes et de recherches que je viens de consacrer à cette question. Mais il serait aussi malhonnête de n'attribuer ma conviction qu'à la seule sensiblerie. Je suis aussi éloigné que possible, au contraire, de ce mol attendrissement où se complaisent les humanitaires et dans lequel les valeurs et les responsabilités se confondent, les crimes s'égalisent, l'innocence perd finalement ses droits. Je ne crois pas, contrairement à beaucoup d'illustres contemporains, que l'homme soit, par nature, un animal de société. À vrai dire, je pense le contraire. Mais je crois, ce qui est très différent, qu'il ne peut vivre désormais en dehors de la société dont les lois sont nécessaires à sa survie physique. Il faut donc que les responsabilités soient établies selon une échelle raisonnable et efficace par la société elle-même. Mais la loi trouve sa dernière justification dans le bien qu'elle fait ou ne fait pas à la société d'un lieu et d'un temps donnés. Pendant des années, je n'ai pu voir dans la peine de mort qu'un supplice insupportable à l'imagination et un désordre paresseux que ma raison condamnait. J'étais prêt cependant à penser que l'imagination influençait mon jugement. Mais, en vérité, je n'ai rien trouvé pendant ces semaines, qui n'ait renforcé ma conviction ou qui ait modifié mes raisonnements. Au contraire, aux arguments qui étaient déjà les miens, d'autres sont venus s'ajouter. Aujourd'hui, je partage absolument la conviction de Koestler : la peine de mort souille notre société et ses partisans ne peuvent la justifier en raison. Sans reprendre sa décisive plaidoirie, sans accumuler des faits et des chiffres qui feraient double emploi, et que la précision de Jean Bloch-Michel rend inutiles, je développerai seulement les raisonnements qui prolongent ceux de Koestler et qui, en même temps qu'eux, militent pour une abolition immédiate de la peine capitale.

On sait que le grand argument des partisans de la peine de mort est l'exemplarité du châtiment. On ne coupe pas seulement les têtes pour punir leurs porteurs, mais pour intimider, par un exemple effrayant, ceux qui seraient tentés de les imiter. La société ne se venge pas, elle veut seulement prévenir. Elle brandit la tête pour que les candidats au meurtre y lisent leur avenir et reculent.

Cet argument serait impressionnant si l'on n'était obligé de constater :

1. Que la société ne croit pas elle-même à l'exemplarité dont elle parle ;

2. Qu'il n'est pas prouvé que la peine de mort ait fait reculer un seul meurtrier, décidé à l'être, alors

qu'il est évident qu'elle n'a eu aucun effet, sinon de fascination, sur des milliers de criminels ;

3. Qu'elle constitue, à d'autres égards, un exemple repoussant dont les conséquences sont imprévisibles.

La société, d'abord, ne croit pas ce qu'elle dit. Si elle le croyait vraiment, elle montrerait les têtes. Elle ferait bénéficier les exécutions du lancement publicitaire qu'elle réserve d'ordinaire aux emprunts nationaux ou aux nouvelles marques d'apéritifs. On sait, au contraire, que les exécutions, chez nous, n'ont plus lieu en public et se perpètrent dans la cour des prisons devant un nombre restreint de spécialistes. On sait moins pourquoi et depuis quand. Il s'agit d'une mesure relativement récente. La dernière exécution publique fut, en 1939, celle de Weidmann, auteur de plusieurs meurtres, que ses exploits avaient mis à la mode. Ce matin-là, une grande foule se pressait à Versailles et, parmi elle, un grand nombre de photographes. Entre le moment où Weidmann fut exposé à la foule et celui où il fut décapité, des photographies purent être prises. Quelques heures plus tard, *Paris-Soir* publiait une page d'illustrations sur cet appétissant événement. Le bon peuple parisien put ainsi se rendre compte que la légère machine de précision dont l'exécuteur se servait était aussi différente de l'échafaud historique qu'une Jaguar peut l'être de nos vieilles de Dion-Bouton. L'administration et le gouvernement, contrairement à toute espérance, prirent très mal cette excellente publicité et crièrent que la presse avait voulu flatter les instincts sadiques de ses lecteurs. On décida donc que les exécutions n'auraient plus lieu en public, disposition qui, peu après, rendit plus facile le travail des autorités d'occupation.

La logique, en cette affaire, n'était pas avec le législateur. Il fallait au contraire décerner une décoration supplémentaire au directeur de *Paris-Soir* en l'encourageant à mieux faire la prochaine fois. Si l'on veut que la peine soit exemplaire, en effet, on doit, non seulement multiplier les photographies, mais encore planter la machine sur un échafaud, place de la Concorde, à deux heures de l'après-midi, inviter le peuple entier et téléviser la cérémonie pour les absents. Il faut faire cela ou cesser de parler d'exemplarité. Comment l'assassinat furtif qu'on commet la nuit dans une cour de prison peut-il être exemplaire ? Tout au plus sert-il à informer périodiquement les citoyens qu'ils mourront s'il leur arrive de tuer ; avenir qu'on peut promettre aussi à ceux qui ne tuent pas. Pour que la peine soit vraiment exemplaire, il faut qu'elle soit effrayante. Tuaut de La Bouverie, représentant du peuple en 1791, et partisan des exécutions publiques, était plus logique lorsqu'il déclarait à l'Assemblée nationale : « Il faut un spectacle terrible pour contenir le peuple. »

Aujourd'hui, point de spectacle, une pénalité connue de tous par ouï-dire, et, de loin en loin, la nouvelle d'une exécution, maquillée sous des formules adoucissantes. Comment un criminel futur aurait-il à l'esprit, au moment du crime, une sanction qu'on s'ingénie à rendre de plus en plus abstraite ! Et si l'on désire vraiment qu'il garde toujours cette sanction en mémoire, afin qu'elle équilibre d'abord et renverse ensuite une décision forcenée, ne devrait-on pas chercher à graver profondément cette sanction, et sa terrible réalité, dans toutes les sensibilités, par tous les moyens de l'image et du langage ?

Au lieu d'évoquer vaguement une dette que quelqu'un, le matin même, a payée à la société, ne serait-il pas d'un plus efficace exemple de profiter d'une si belle occasion pour rappeler à chaque contribuable le détail de ce qui l'attend ? Au lieu de dire : « Si vous tuez, vous expierez sur l'échafaud », ne vaudrait-il pas mieux lui dire, aux fins d'exemple : « Si vous tuez, vous serez jeté en prison pendant des mois ou des années, partagé entre un désespoir impossible et une terreur renouvelée, jusqu'à ce qu'un matin, nous nous glissions dans votre cellule, ayant quitté nos chaussures pour mieux vous surprendre dans le sommeil qui vous écrasera, après l'angoisse de la nuit. Nous nous jetterons sur vous, lierons vos poignets dans votre dos, couperons aux ciseaux le col de votre chemise et vos cheveux s'il y a lieu. Dans un souci de perfectionnement, nous ligoterons vos bras au moyen d'une courroie, afin que vous soyez contraint de vous tenir voûté et d'offrir ainsi une nuque bien dégagée. Nous vous porterons ensuite, un aide vous soutenant à chaque bras, vos pieds traînant en arrière à travers les couloirs. Puis, sous un ciel de nuit, l'un des exécuteurs vous empoignera enfin par le fond du pantalon et vous jettera horizontalement sur une planche, pendant qu'un autre assurera votre tête dans une lunette et qu'un troisième fera tomber, d'une hauteur de deux mètres vingt, un couperet de soixante kilos qui tranchera votre cou comme un rasoir. »

Pour que l'exemple soit encore meilleur, pour que la terreur qu'il entraîne devienne en chacun de nous une force assez aveugle et assez puissante pour compenser au bon moment l'irrésistible désir du meurtre, il faudrait encore aller plus loin. Au lieu de nous vanter, avec la prétentieuse inconscience qui nous est propre, d'avoir inventé ce moyen rapide et humain[1]

---

1. Le condamné, selon l'optimiste docteur Guillotin, ne devait rien sentir. Tout au plus une « légère fraîcheur dans le cou ».

de tuer les condamnés, il faudrait publier à des milliers d'exemplaires, et faire lire dans les écoles et les facultés, les témoignages et les rapports médicaux qui décrivent l'état du corps après l'exécution. On recommandera tout particulièrement l'impression et la diffusion d'une récente communication à l'Académie de Médecine faite par les docteurs Piedelièvre et Fournier. Ces médecins courageux, appelés, dans l'intérêt de la science, à examiner les corps des suppliciés après l'exécution, ont estimé de leur devoir de résumer leurs terribles observations :

Si nous pouvons nous permettre de donner notre avis à ce sujet, de tels spectacles sont affreusement pénibles. Le sang sort des vaisseaux au rythme des carotides sectionnées, puis il se coagule. Les muscles se contractent et leur fibrillation est stupéfiante ; l'intestin ondule et le cœur a des mouvements irréguliers, incomplets, fascinants. La bouche se crispe à certains moments dans une moue terrible. Il est vrai que, sur cette tête décapitée, les yeux sont immobiles avec des pupilles dilatées ; ils ne regardent pas heureusement, et s'ils n'ont aucun trouble, aucune opalescence cadavérique, ils n'ont plus de mouvements ; leur transparence est vivante, mais leur fixité est mortelle. Tout cela peut durer des minutes, des heures même, chez des sujets sans tares : la mort n'est pas immédiate... Ainsi chaque élément vital survit à la décapitation. Il ne reste, pour le médecin, que cette impression d'une horrible expérience, d'une vivisection meurtrière, suivies d'un enterrement prématuré[1].

Je doute qu'il se trouve beaucoup de lecteurs pour lire sans blêmir cet épouvantable rapport. On peut donc compter sur son pouvoir exemplaire et sa capacité d'intimidation. Rien n'empêche d'y ajouter les rapports de témoins qui authentifient encore les

1. *Justice sans bourreau*, n° 2, juin 1956.

observations des médecins. La face suppliciée de
Charlotte Corday avait rougi, dit-on, sous le soufflet
du bourreau. On ne s'en étonnera pas en écoutant
des observateurs plus récents. Un aide-exécuteur,
donc peu suspect de cultiver la romance et la sensiblerie, décrit ainsi ce qu'il a été obligé de voir : « C'est
un forcené en proie à une véritable crise de *delirium
tremens* que nous avons jeté sous le couperet. La tête
meurt aussitôt. Mais le corps saute littéralement dans
le panier, tire sur les cordes. Vingt minutes après, au
cimetière, il y a encore des frémissements[1]. » L'aumônier actuel de la Santé, le R.P. Devoyod, qui ne
semble pas opposé à la peine de mort, fait dans son
livre *Les Délinquants*[2] un récit qui va loin, et qui
renouvelle l'histoire du condamné Languille dont la
tête décapitée répondait à l'appel de son nom[3] :

Le matin de l'exécution, le condamné était de très
méchante humeur et il refusa les secours de la religion.
Connaissant le fond de son cœur et l'affection qu'il avait
pour sa femme dont les sentiments étaient très chrétiens,
nous lui dîmes : «Allons, par amour pour votre femme,
recueillez-vous un instant avant de mourir», et le condamné
accepta. Il se recueillit longuement devant le crucifix, puis
il sembla ne plus prêter attention à notre présence. Lorsqu'il fut exécuté, nous étions à peu de distance de lui ; sa
tête tomba dans l'auge placée devant la guillotine et le
corps fut aussitôt mis dans le panier ; mais contrairement
à l'usage, le panier fut refermé avant que la tête y fût placée. L'aide qui portait la tête dut attendre un instant que le
panier soit ouvert de nouveau ; or, pendant ce court espace
de temps, nous eûmes la possibilité de voir les deux yeux
du condamné fixés sur moi dans un regard de supplication,

1. Publié par Roger Grenier, *Les Monstres*, Gallimard. Ces déclarations sont authentiques.
2. Éditions Matot-Braine, Reims.
3. En 1905, dans le Loiret.

comme pour demander pardon. Instinctivement, nous tra-
çâmes un signe de croix pour bénir la tête, alors, ensuite,
les paupières clignèrent, l'expression des yeux devint
douce, puis le regard, resté expressif, se perdit...

Le lecteur recevra, selon sa foi, l'explication proposée par le prêtre. Du moins, ces yeux «restés
expressifs», n'ont besoin d'aucune interprétation.
Je pourrais apporter d'autres témoignages aussi
hallucinants. Mais je ne saurais, quant à moi, aller
plus loin. Après tout, je ne professe pas que la peine
de mort soit exemplaire et ce supplice m'apparaît
pour ce qu'il est, une chirurgie grossière pratiquée
dans des conditions qui lui enlèvent tout caractère
édifiant. La société, au contraire, et l'État, qui en a
vu d'autres, peuvent très bien supporter ces détails
et, puisqu'ils prêchent l'exemple, devraient essayer
de les faire supporter à tous, afin que nul n'en ignore,
et que la population à jamais terrorisée devienne
franciscaine dans son entier. Qui espère-t-on intimider, autrement, par cet exemple sans cesse dérobé,
par la menace d'un châtiment présenté comme doux
et expéditif, et plus supportable en somme qu'un
cancer, par ce supplice couronné des fleurs de la
rhétorique? Certainement pas ceux qui passent
pour honnêtes (et certains le sont) puisqu'ils dor-
ment à cette heure-là, que le grand exemple ne leur
a pas été annoncé, qu'ils mangeront leurs tartines à
l'heure de l'enterrement prématuré, et qu'ils seront
informés de l'œuvre de justice, si seulement ils lisent
les journaux, par un communiqué doucereux qui
fondra comme sucre dans leur mémoire. Pourtant
ces paisibles créatures sont celles qui fournissent le
plus gros pourcentage des homicides. Beaucoup de
ces honnêtes gens sont des criminels qui s'ignorent.
Selon un magistrat, l'immense majorité des meur-

triers qu'il avait connus ne savaient pas, en se rasant le matin, qu'ils allaient tuer le soir. Pour l'exemple et la sécurité, il conviendrait donc, au lieu de la maquiller, de brandir la face nue du supplicié devant tous ceux qui se rasent le matin.

Il n'en est rien. L'État camoufle les exécutions et fait silence sur ces textes et sur ces témoignages. Il ne croit donc pas à la valeur exemplaire de la peine, sinon par tradition et sans se donner la peine de réfléchir. On tue le criminel parce qu'on l'a fait pendant des siècles et, d'ailleurs, on le tue dans les formes qui ont été fixées à la fin du xviiie siècle. Par routine, on reprendra donc les arguments qui avaient cours il y a des siècles, quitte à les contredire par des mesures que l'évolution de la sensibilité publique rend inévitables. On applique une loi sans plus la raisonner et nos condamnés meurent par cœur, au nom d'une théorie à laquelle les exécuteurs ne croient pas. S'ils y croyaient, cela se saurait et surtout se verrait. Mais la publicité, outre qu'elle réveille, en effet, des instincts sadiques dont la répercussion est incalculable et qui finissent un jour par se satisfaire dans un nouveau meurtre, risque aussi de provoquer révolte et dégoût dans l'opinion publique. Il deviendrait plus difficile d'exécuter à la chaîne, comme on le voit aujourd'hui chez nous, si ces exécutions se traduisaient en images vivaces dans l'imagination populaire. Tel qui savoure son café en lisant que justice a été faite le recracherait au moindre détail. Et les textes que j'ai cités risqueraient de donner bonne mine à certains professeurs de droit criminel qui, dans l'incapacité évidente de justifier cette peine anachronique, se consolent en déclarant, avec le sociologue Tarde, qu'il vaut mieux faire mourir sans faire souffrir que faire souffrir sans faire mourir. C'est pourquoi il faut approuver la position de Gambetta qui, adversaire de la peine de mort, vota contre un projet de loi portant suppression de la publicité des exécutions, en déclarant :

> Si vous supprimez l'horreur du spectacle, si vous exécutez dans l'intérieur des prisons, vous étoufferez le sursaut public de révolte qui s'est manifesté ces dernières années et vous allez consolider la peine de mort.

En effet, il faut tuer publiquement ou avouer qu'on ne se sent pas autorisé à tuer. Si la société justifie la peine de mort par la nécessité de l'exemple, elle doit se justifier elle-même en rendant la publicité nécessaire. Elle doit montrer les mains du bourreau, chaque fois, et obliger à les regarder les citoyens trop délicats en même temps que tous ceux qui, de près ou de loin, ont suscité ce bourreau. Autrement, elle avoue qu'elle tue sans savoir ce qu'elle dit ni ce qu'elle fait, ou en sachant que, loin d'intimider l'opinion, ces cérémonies écœurantes ne peuvent qu'y réveiller le crime ou la jeter dans le désarroi. Qui le ferait mieux sentir qu'un magistrat, parvenu à la fin de sa carrière, M. le conseiller Falco, dont la courageuse confession mérite d'être méditée :

> ... La seule fois de ma carrière où j'ai conclu contre une commutation de peine et pour l'exécution de l'inculpé, je croyais que, malgré ma position, j'assisterais en toute impassibilité à l'exécution. L'individu était d'ailleurs peu intéressant : il avait martyrisé sa fillette et l'avait finalement jetée dans un puits. Eh bien ! à la suite de son exécution, pendant des semaines et même des mois, mes nuits ont été hantées par ce souvenir... J'ai comme tout le monde fait la guerre et vu mourir une jeunesse innocente, mais je puis dire que, devant ce spectacle affreux, je n'ai jamais éprouvé cette sorte de mauvaise conscience que

j'éprouvais devant cette espèce d'assassinat administratif qu'on appelle la peine capitale[1].

Mais, après tout, pourquoi la société croirait-elle à cet exemple puisqu'il n'arrête pas le crime et que ses effets, s'ils existent, sont invisibles ? La peine capitale ne saurait intimider d'abord celui qui ne sait pas qu'il va tuer, qui s'y décide en un moment et prépare son acte dans la fièvre ou l'idée fixe, ni celui qui, allant à un rendez-vous d'explication, emporte une arme pour effrayer l'infidèle ou l'adversaire et s'en sert, alors qu'il ne le voulait pas, ou ne croyait pas le vouloir. Elle ne saurait en un mot intimider l'homme jeté dans le crime comme on l'est dans le malheur. Autant dire alors qu'elle est impuissante dans la majorité des cas. Il est juste de reconnaître qu'elle est, chez nous, rarement appliquée dans ces cas-là. Mais ce « rarement » lui-même fait frémir.

Effraie-t-elle du moins cette race de criminels sur qui elle prétend agir et qui vivent du crime ? Rien n'est moins sûr. On peut lire dans Koestler qu'à l'époque où les voleurs à la tire étaient exécutés en Angleterre, d'autres voleurs exerçaient leurs talents dans la foule qui entourait l'échafaud où l'on pendait leur confrère. Une statistique, établie au début du siècle en Angleterre, montre que sur 250 pendus, 170 avaient, auparavant, assisté personnellement à une ou deux exécutions capitales. En 1886 encore, sur 167 condamnés à mort qui avaient défilé dans la prison de Bristol, 164 avaient assisté au moins à une exécution. De tels sondages ne peuvent plus être effectués en France, à cause du secret qui entoure les exécutions. Mais ils autorisent à penser qu'il devait y avoir autour de mon père, le jour de

1. Revue *Réalités*, n° 105, octobre 1954.

l'exécution, un assez grand nombre de futurs criminels qui, eux, n'ont pas vomi. Le pouvoir d'intimidation s'adresse seulement aux timides qui ne sont
pas voués au crime et fléchit devant les irréductibles
qu'il s'agissait justement de réduire. On trouvera
dans ce volume, et dans les ouvrages spécialisés, les
chiffres et les faits les plus convaincants à cet égard.

On ne peut nier pourtant que les hommes crai-
gnent la mort. La privation de la vie est certainement
la peine suprême et devrait susciter en eux un effroi
décisif. La peur de la mort, surgie du fond le plus
obscur de l'être, le dévaste ; l'instinct de vie, quand
il est menacé, s'affole et se débat dans les pires
angoisses. Le législateur était donc fondé à penser
que sa loi pesait sur un des ressorts les plus mystérieux et les plus puissants de la nature humaine.
Mais la loi est toujours plus simple que la nature.
Lorsqu'elle s'aventure, pour essayer d'y régner, dans
les régions aveugles de l'être, elle risque plus encore
d'être impuissante à réduire la complexité qu'elle
veut ordonner.

Si la peur de la mort, en effet, est une évidence,
c'en est une autre que cette peur, si grande qu'elle
soit, n'a jamais suffi à décourager les passions
humaines. Bacon a raison de dire qu'il n'est point de
passion si faible qu'elle ne puisse affronter et maîtri-
ser la peur de la mort. La vengeance, l'amour, l'honneur, la douleur, une autre peur, arrivent à en
triompher. Ce que l'amour d'un être ou d'un pays, ce
que la folie de la liberté arrivent à faire, comment la
cupidité, la haine, la jalousie ne le feraient-elles pas ?
Depuis des siècles, la peine de mort, accompagnée
souvent de sauvages raffinements, essaie de tenir
tête au crime ; le crime pourtant s'obstine. Pourquoi ? C'est que les instincts qui, dans l'homme, se
combattent, ne sont pas, comme le veut la loi, des

forces constantes en état d'équilibre. Ce sont des forces variables qui meurent et triomphent tour à tour et dont les déséquilibres successifs nourrissent la vie de l'esprit, comme des oscillations électriques, suffisamment rapprochées, établissent un courant. Imaginons la série d'oscillations, du désir à l'inappétence, de la décision au renoncement, par lesquelles nous passons tous dans une seule journée, multiplions à l'infini ces variations et nous aurons une idée de la prolifération psychologique. Ces déséquilibres sont généralement trop fugitifs pour permettre à une seule force de régner sur l'être entier. Mais il arrive qu'une des forces de l'âme se déchaîne, jusqu'à occuper tout le champ de la conscience; aucun instinct, fût-ce celui de la vie, ne peut alors s'opposer à la tyrannie de cette force irréversible. Pour que la peine capitale soit réellement intimidante, il faudrait que la nature humaine fût différente et qu'elle fût aussi stable et sereine que la loi elle-même. Mais elle serait alors nature morte.

Elle ne l'est pas. C'est pourquoi, si surprenant que cela paraisse à qui n'a pas observé ni éprouvé en lui-même la complexité humaine, le meurtrier, la plupart du temps, se sent innocent quand il tue. Tout criminel s'acquitte avant le jugement. Il s'estime, sinon dans son droit, du moins excusé par les circonstances. Il ne pense pas ni ne prévoit; lorsqu'il pense, c'est pour prévoir qu'il sera excusé totalement ou partiellement. Comment craindrait-il ce qu'il juge hautement improbable? Il craindra la mort après le jugement, et non avant le crime. Il faudrait donc que la loi, pour être intimidante, ne laisse aucune chance au meurtrier, qu'elle soit d'avance implacable et n'admette en particulier aucune circonstance atténuante. Qui oserait, chez nous, le demander?

Le ferait-on, qu'il faudrait encore compter avec un

autre paradoxe de la nature humaine. L'instinct de vie, s'il est fondamental, ne l'est pas plus qu'un autre instinct dont ne parlent pas les psychologues d'école : l'instinct de mort, qui exige à certaines heures la destruction de soi-même et des autres. Il est probable que le désir de tuer coïncide souvent avec le désir de mourir soi-même ou de s'anéantir[1]. L'instinct de conservation se trouve ainsi doublé, dans des proportions variables, par l'instinct de destruction. Ce dernier est le seul à pouvoir expliquer entièrement les nombreuses perversions qui, de l'alcoolisme à la drogue, mènent la personne à sa perte sans qu'elle puisse l'ignorer. L'homme désire vivre, mais il est vain d'espérer que ce désir régnera sur toutes ses actions. Il désire aussi n'être rien, il veut l'irréparable, et la mort pour elle-même. Il arrive ainsi que le criminel ne désire pas seulement le crime, mais le malheur qui l'accompagne, même et surtout si ce malheur est démesuré. Quand cet étrange désir grandit et règne, non seulement la perspective d'une mise à mort ne saurait arrêter le criminel, mais il est probable qu'elle ajoute encore au vertige où il se perd. On tue alors pour mourir, d'une certaine façon.

Ces singularités suffisent à expliquer qu'une peine qui semble calculée pour effrayer des esprits normaux soit en réalité complètement désamorcée de la psychologie moyenne. Toutes les statistiques sans exception, celles qui concernent les pays abolitionnistes comme les autres, montrent qu'il n'y a pas de lien entre l'abolition de la peine de mort et la criminalité[2]. Cette dernière ne s'accroît ni ne décroît. La

---

1. On peut lire chaque semaine dans la presse les cas de criminels qui ont hésité d'abord entre se tuer ou tuer.
2. Rapport du Select Committee anglais de 1930 et de la Commission royale anglaise qui a repris l'étude récemment : « Toutes les statistiques que nous avons examinées nous confirment que

guillotine existe, le crime aussi ; entre les deux, il n'y a pas d'autre lien apparent que celui de la loi. Tout ce que nous pouvons conclure des chiffres, longuement alignés par les statistiques, est ceci : pendant des siècles, on a puni de mort des crimes autres que le meurtre et le châtiment suprême, longuement répété, n'a fait disparaître aucun de ces crimes. Depuis des siècles, on ne punit plus ces crimes par la mort. Ils n'ont pourtant pas augmenté en nombre et quelques-uns ont diminué. De même, on a puni le meurtre par la peine capitale pendant des siècles et la race de Caïn n'a pas disparu pour autant. Dans les trente-trois nations qui ont supprimé la peine de mort ou n'en font plus usage, le nombre des meurtres, enfin, n'a pas augmenté. Qui pourrait tirer de là que la peine de mort soit réellement intimidante ?

Les conservateurs ne peuvent nier ces faits ni ces chiffres. Leur seule et dernière réponse est significative. Elle explique l'attitude paradoxale d'une société qui cache si soigneusement les exécutions qu'elle prétend exemplaires. «Rien ne prouve, en effet, disent les conservateurs, que la peine de mort soit exemplaire ; il est même certain que des milliers de meurtriers n'en ont pas été intimidés. Mais nous ne pouvons connaître ceux qu'elle a intimidés ; rien ne prouve par conséquent qu'elle ne soit pas exemplaire.» Ainsi, le plus grand des châtiments, celui qui entraîne la déchéance dernière pour le condamné, et qui octroie le privilège suprême à la société, ne repose sur rien d'autre que sur une possibilité invérifiable. La mort, elle, ne comporte ni degrés ni probabilités. Elle fixe toutes choses, la culpabilité

---

l'abolition de la peine de mort n'a pas provoqué une augmentation du nombre des crimes.»

comme le corps, dans une rigidité définitive. Elle est cependant administrée chez nous au nom d'une chance et d'une supputation. Quand même cette supputation serait raisonnable, ne faudrait-il pas une certitude pour autoriser la plus certaine des morts ? Or, le condamné est coupé en deux, moins pour le crime qu'il a commis qu'en vertu de tous les crimes qui auraient pu l'être et ne l'ont pas été, qui pourront l'être et ne le seront pas. L'incertitude la plus vaste autorise ici la certitude la plus implacable.

Je ne suis pas le seul à m'étonner d'une si dangereuse contradiction. L'État lui-même la condamne et cette mauvaise conscience explique à son tour la contradiction de son attitude. Il ôte toute publicité à ses exécutions parce qu'il ne peut affirmer, devant les faits, qu'elles aient jamais servi à intimider les criminels. Il ne peut s'évader du dilemme où l'a déjà enfermé Beccaria lorsqu'il écrivait : « S'il est important de montrer souvent au peuple des preuves du pouvoir, dès lors les supplices doivent être fréquents ; mais il faudra que les crimes le soient aussi, ce qui prouvera que la peine de mort ne fait point toute l'impression qu'elle devrait, d'où il résulte qu'elle est en même temps inutile et nécessaire. » Que peut faire l'État d'une peine inutile et nécessaire, sinon la cacher sans l'abolir ? Il la conservera donc, un peu à l'écart, non sans embarras, avec l'espoir aveugle qu'un homme au moins, un jour au moins, se trouvera arrêté, par la considération du châtiment, dans son geste meurtrier, et justifiera, sans que personne le sache jamais, une loi qui n'a plus pour elle ni la raison ni l'expérience. Pour continuer à prétendre que la guillotine est exemplaire, l'État est conduit ainsi à multiplier des meurtres bien réels afin d'éviter un meurtre inconnu dont il ne sait

et ne saura jamais s'il a une seule chance d'être per-
pétré. Étrange loi, en vérité, qui connaît le meurtre
qu'elle entraîne et ignorera toujours celui qu'elle
empêche.

Que restera-t-il alors de ce pouvoir d'exemple, s'il
est prouvé que la peine capitale a un autre pouvoir,
bien réel celui-là, et qui dégrade des hommes jusqu'à la honte, la folie et le meurtre ?

On peut déjà suivre les effets exemplaires de ces
cérémonies dans l'opinion publique, les manifestations de sadisme qu'elles y réveillent, l'affreuse
gloriole qu'elles suscitent chez certains criminels.
Aucune noblesse autour de l'échafaud, mais le
dégoût, le mépris ou la plus basse des jouissances.
Ces effets sont connus. La décence elle aussi a commandé que la guillotine émigre de la place de l'Hôtel-
de-Ville aux barrières, puis dans les prisons. On est
moins renseigné sur les sentiments de ceux dont
c'est le métier d'assister à cette sorte de spectacles.
Écoutons alors ce directeur de prison anglaise qui
avoue un «sentiment aigu de honte personnelle» et
ce chapelain qui parle «d'horreur, de honte et d'humiliation[1]». Imaginons surtout les sentiments de
l'homme qui tue en service commandé, je veux dire
le bourreau. Que penser de ces fonctionnaires, qui
appellent la guillotine «la bécane», le condamné «le
client» ou le «colis». Sinon ce qu'en pense le prêtre
Bela Just qui assista près de trente condamnés et
qui écrit: «L'argot des justiciers ne le cède en rien
en cynisme et en vulgarité à celui des délinquants[2].»
Au reste, voici les considérations d'un de nos
aides-exécuteurs sur ses déplacements en province:

1. Rapport du Select Committee, 1930.
2. Bela Just, *La Potence et la croix*, Fasquelle.

«Quand nous partions en voyage, c'étaient de vraies parties de rigolade. À nous les taxis, à nous les bons restaurants[1]!» Le même dit, en vantant l'adresse du bourreau à déclencher le couperet : «On pouvait *se payer le luxe* de tirer le client par les cheveux.» Le dérèglement qui s'exprime ici a d'autres aspects encore plus profonds. Les habits des condamnés appartiennent en principe à l'exécuteur. Deibler père les accrochait tous dans une baraque de planches et *allait de temps en temps les regarder*. Il y a plus grave. Voici ce que déclare notre aide-exécuteur :

Le nouvel exécuteur est un cinglé de la guillotine. Il reste parfois des jours entiers chez lui, assis sur une chaise, tout prêt, avec son chapeau sur la tête, son pardessus, à attendre une convocation du ministère[2].

Oui, voilà l'homme dont Joseph de Maistre disait que, pour qu'il existe, il fallait un décret particulier de la puissance divine et que, sans lui, «l'ordre fait place au chaos, les trônes s'abîment et la société disparaît». Voilà l'homme sur lequel la société se débarrasse entièrement du coupable, puisque le bourreau signe la levée d'écrou et qu'on remet alors un homme libre à sa discrétion. Le bel et solennel exemple, imaginé par nos législateurs, a du moins un effet certain, qui est de ravaler ou de détruire la qualité humaine et la raison chez ceux qui y collaborent directement. Il s'agit, dira-t-on, de créatures exceptionnelles qui trouvent une vocation dans cette déchéance. On le dira moins quand on saura qu'il y a des centaines de personnes qui s'offrent pour être exécuteurs gratuitement. Les hommes de notre génération, qui ont vécu l'histoire de ces dernières années, ne s'étonne-

1. Roger Grenier, *Les Monstres, op. cit.*
2. *Ibid.*

ront pas de cette information. Ils savent que, derrière les visages les plus paisibles, et les plus familiers, dort l'instinct de torture et de meurtre. Le châtiment qui prétend intimider un meurtrier inconnu rend certainement à leur vocation de tueurs bien d'autres monstres plus certains. Puisque nous en sommes à justifier nos lois les plus cruelles par des considérations probables, ne doutons pas que, sur ces centaines d'hommes dont on a décliné les services, l'un, au moins, a dû assouvir autrement les instincts sanglants que la guillotine a réveillés en lui.

Si donc l'on veut maintenir la peine de mort, qu'on nous épargne au moins l'hypocrisie d'une justification par l'exemple. Appelons par son nom cette peine à qui l'on refuse toute publicité, cette intimidation qui ne s'exerce pas sur les honnêtes gens, tant qu'ils le sont, qui fascine ceux qui ont cessé de l'être et qui dégrade ou dérègle ceux qui y prêtent la main. Elle est une peine, certainement, un épouvantable supplice, physique et moral, mais elle n'offre aucun exemple certain, sinon démoralisant. Elle sanctionne, mais elle ne prévient rien, quand elle ne suscite pas l'instinct de meurtre. Elle est comme si elle n'était pas, sauf pour celui qui la subit, dans son âme, pendant des mois ou des années, dans son corps, pendant l'heure désespérée et violente où on le coupe en deux, sans supprimer sa vie. Appelons-la par son nom qui, à défaut d'autre noblesse, lui rendra celle de la vérité, et reconnaissons-la pour ce qu'elle est essentiellement : une vengeance.

Le châtiment, qui sanctionne sans prévenir, s'appelle en effet la vengeance. C'est une réponse quasi arithmétique que fait la société à celui qui enfreint sa loi primordiale. Cette réponse est aussi vieille que l'homme : elle s'appelle le talion. Qui m'a fait mal doit avoir mal ; qui m'a crevé un œil, doit devenir borgne ; qui a tué enfin doit mourir. Il s'agit d'un sentiment, et particulièrement violent, non d'un principe. Le talion est de l'ordre de la nature et de l'instinct, il n'est pas de l'ordre de la loi. La loi, par définition, ne peut obéir aux mêmes règles que la nature. Si le meurtre est dans la nature de l'homme, la loi n'est pas faite pour imiter ou reproduire cette nature. Elle est faite pour la corriger. Or, le talion se borne à ratifier et à donner force de loi à un pur mouvement de nature. Nous avons tous connu ce mouvement, souvent pour notre honte, et nous connaissons sa puissance : il nous vient des forêts primitives. À cet égard, nous autres Français qui nous indignons, à juste titre, de voir le roi du pétrole, en Arabie Saoudite, prêcher la démocratie internationale et confier à un boucher le soin de découper au couteau la main du voleur, nous vivons aussi dans une sorte de Moyen Âge qui n'a même pas les consolations de la foi. Nous définissons encore la justice selon les règles d'une arithmétique grossière[1]. Peut-on dire du moins que cette arithmétique est exacte et que la justice, même élémentaire, même limitée à la vengeance légale, est sauvegardée par la peine de mort ? Il faut répondre que non.

1. J'ai demandé, il y a quelques années, la grâce de six condamnés à mort tunisiens, condamnés pour le meurtre, dans une émeute, de trois gendarmes français. Les circonstances où s'était produit ce meurtre rendaient difficile le partage des responsabilités. Une note de la présidence de la République me fit savoir que ma supplique retenait l'intérêt de l'organisme qualifié. Malheureusement, lorsque cette note me fut adressée, j'avais lu, depuis deux semaines, que la sentence avait été exécutée. Trois des condamnés avaient été mis à mort, les trois autres graciés. Les raisons de gracier les uns plutôt que les autres n'étaient pas déterminantes. Mais il fallait sans doute procéder à trois exécutions capitales là où il y avait eu trois victimes.

Laissons de côté le fait que la loi du talion est inapplicable et qu'il paraîtrait aussi excessif de punir l'incendiaire en mettant le feu à sa maison qu'insuffisant de châtier le voleur en prélevant sur son compte en banque une somme équivalente à son vol. Admettons qu'il soit juste et nécessaire de compenser le meurtre de la victime par la mort du meurtrier. Mais l'exécution capitale n'est pas simplement la mort. Elle est aussi différente, en son essence, de la privation de vie, que le camp de concentration l'est de la prison. Elle est un meurtre, sans doute, et qui paie arithmétiquement le meurtre commis. Mais elle ajoute à la mort un règlement, une préméditation publique et connue de la future victime, une organisation, enfin, qui est par elle-même une source de souffrances morales plus terribles que la mort. Il n'y a donc pas équivalence. Beaucoup de législations considèrent comme plus grave le crime prémédité que le crime de pure violence. Mais qu'est-ce donc que l'exécution capitale, sinon le plus prémédité des meurtres, auquel aucun forfait de criminel, si calculé soit-il, ne peut être comparé? Pour qu'il y ait équivalence, il faudrait que la peine de mort châtiât un criminel qui aurait averti sa victime de l'époque où il lui donnerait une mort horrible et qui, à partir de cet instant, l'aurait séquestrée à merci pendant des mois. Un tel monstre ne se rencontre pas dans le privé.

Là encore, lorsque nos juristes officiels parlent de faire mourir sans faire souffrir, ils ne savent pas ce dont ils parlent, et, surtout, ils manquent d'imagination. La peur dévastatrice, dégradante, qu'on impose pendant des mois ou des années[1] au condamné, est

---

1. Rœmen, condamné à mort à la Libération, est resté sept cents jours dans les chaînes avant d'être exécuté, ce qui est scandaleux.

une peine plus terrible que la mort, et qui n'a pas
été imposée à la victime. Même dans l'épouvante de
la violence mortelle qui lui est faite, celle-ci, la plupart du temps, est précipitée dans la mort sans
savoir ce qui lui arrive. Le temps de l'horreur lui est
compté avec la vie et l'espoir d'échapper à la folie
qui s'abat sur elle ne lui manque probablement
jamais. L'horreur est, au contraire, détaillée au
condamné à mort. La torture par l'espérance alterne
avec les affres du désespoir animal. L'avocat et l'aumônier, par simple humanité, les gardiens, pour
que le condamné reste tranquille, sont unanimes à
l'assurer qu'il sera gracié. Il y croit de tout son
être et puis il n'y croit plus. Il l'espère le jour, il en
désespère la nuit[1]. À mesure que les semaines passent, l'espoir et le désespoir grandissent et deviennent
également insupportables. Selon tous les témoins,
la couleur de la peau change, la peur agit comme un
acide. «Savoir qu'on va mourir n'est rien, dit un
condamné de Fresnes. Ne pas savoir si l'on va vivre,
c'est l'épouvante et l'angoisse.» Cartouche disait du
supplice suprême: «Bah! c'est un mauvais quart
d'heure à passer.» Mais il s'agit de mois, non de
minutes. Longtemps à l'avance, le condamné sait
qu'il va être tué et que seule peut le sauver une
grâce assez semblable, pour lui, aux décrets du ciel.
Il ne peut en tout cas intervenir, plaider lui-même,
ou convaincre. Tout se passe en dehors de lui. Il

Les condamnés de droit commun attendent, en règle générale, de
trois à six mois le matin de leur mort. Et il est difficile, si l'on veut
préserver leurs chances de survie, de raccourcir le délai. Je puis
témoigner, d'ailleurs, que l'examen des recours en grâce est fait,
en France, avec un sérieux qui n'exclut pas la volonté visible de
gracier, dans toute la mesure où la loi et les mœurs le permettent.

1. Le dimanche n'étant pas jour d'exécution, la nuit du samedi
est toujours meilleure dans les quartiers des condamnés à mort.

n'est plus un homme, mais une chose qui attend
d'être maniée par les bourreaux. Il est maintenu dans
la nécessité absolue, celle de la matière inerte, mais
avec une conscience qui est son principal ennemi.

Quand les fonctionnaires, dont c'est le métier de
tuer cet homme, l'appellent un colis, ils savent ce
qu'ils disent. Ne pouvoir rien contre la main qui
vous déplace, vous garde ou vous rejette, n'est-ce
pas, en effet, être comme un paquet ou une chose,
ou mieux, un animal entravé ? Encore l'animal
peut-il refuser de manger. Le condamné ne le peut
pas. On le fait bénéficier d'un régime spécial (à
Fresnes, régime n° 4 avec suppléments de lait, vin,
sucre, confitures, beurre) ; on veille à ce qu'il s'alimente. S'il le faut, on l'y force. L'animal qu'on va
tuer doit être en pleine forme. La chose ou la bête
ont seulement droit à ces libertés dégradées qui
s'appellent les caprices. « Ils sont très susceptibles »,
déclare sans ironie un brigadier-chef de Fresnes,
parlant des condamnés à mort. Sans doute, mais
comment rejoindre autrement la liberté et cette
dignité du vouloir dont l'homme ne peut se passer ?
Susceptible ou non, à partir du moment où la sentence a été prononcée, le condamné entre dans une
machine imperturbable. Il roule un certain nombre
de semaines dans des rouages qui commandent tous
ses gestes et le livrent pour finir aux mains qui le
coucheront sur la machine à tuer. Le colis n'est plus
soumis aux hasards qui règnent sur l'être vivant,
mais à des lois mécaniques qui lui permettent de
prévoir sans faute le jour de sa décapitation.

Ce jour achève sa condition d'objet. Pendant les
trois quarts d'heure qui le séparent du supplice, la
certitude d'une mort impuissante écrase tout ; la bête
liée et soumise connaît un enfer qui fait paraître déri-
soire celui dont on le menace. Les Grecs étaient,

après tout, plus humains avec leur ciguë. Ils laissaient à leurs condamnés une relative liberté, la possibilité de retarder ou de précipiter l'heure de leur
propre mort. Ils leur donnaient à choisir entre le suicide et l'exécution. Nous, pour plus de sûreté, nous
faisons justice nous-mêmes. Mais il ne pourrait y
avoir vraiment justice que si le condamné, après
avoir fait connaître sa décision des mois à l'avance,
était entré chez sa victime, l'avait liée solidement,
informée qu'elle serait suppliciée dans une heure et
avait enfin rempli cette heure à dresser l'appareil de
la mort. Quel criminel a jamais réduit sa victime à
une condition si désespérée et si impuissante ?

Cela explique sans doute cette étrange soumission
qui est de règle chez les condamnés au moment de
leur exécution. Ces hommes qui n'ont plus rien à
perdre pourraient jouer leur va-tout, préférer mourir d'une balle au hasard, ou être guillotinés dans
une de ces luttes forcenées qui obscurcissent toutes
les facultés. D'une certaine manière, ce serait mourir librement. Et pourtant, à quelques exceptions
près, la règle est que le condamné marche à la mort
passivement, dans une sorte d'accablement morne.
C'est là sans doute ce que veulent dire nos journalistes quand ils écrivent que le condamné est mort
courageusement. Il faut lire que le condamné n'a
pas fait de bruit, n'est pas sorti de sa condition de
colis, et que tout le monde lui en est reconnaissant.
Dans une affaire si dégradante, l'intéressé fait preuve
d'une louable décence en permettant que la dégradation ne dure pas trop longtemps. Mais les compli-
ments et les certificats de courage font partie de la
mystification générale qui entoure la peine de mort.
Car le condamné sera souvent d'autant plus décent
qu'il aura plus peur. Il ne méritera les éloges de
notre presse que si sa peur ou son sentiment d'aban-

don sont assez grands pour le stériliser tout à fait.
Qu'on m'entende bien. Certains condamnés, politiques ou non, meurent héroïquement et il faut parler
d'eux avec l'admiration et le respect qui conviennent. Mais la majorité d'entre eux ne connaissent
d'autre silence que celui de la peur, d'autre impas-
sibilité que celle de l'effroi, et il me semble que ce
silence épouvanté mérite encore un plus grand respect. Lorsque le prêtre Bela Just offre à un jeune
condamné d'écrire aux siens, quelques instants
avant d'être pendu, et qu'il s'entend répondre : « Je
n'ai pas de courage, même pour cela », comment un
prêtre, entendant cet aveu de faiblesse, ne s'incline-
rait-il pas devant ce que l'homme a de plus misérable et de plus sacré ? Ceux qui ne parlent pas et
dont on sait ce qu'ils ont éprouvé à la petite mare
qu'ils laissent à la place dont on les arrache, qui
oserait dire qu'ils sont morts lâchement ? Et comment faudrait-il qualifier alors ceux qui les ont
réduits à cette lâcheté ? Après tout, chaque meurtrier, lorsqu'il tue, risque la plus terrible des morts,
tandis que ceux qui le tuent ne risquent rien, sinon
de l'avancement.

Non, ce que l'homme éprouve alors est au-delà de
toute morale. Ni la vertu, ni le courage, ni l'intelli-
gence, ni même l'innocence n'ont de rôle à jouer ici.
La société est, d'un coup, ramenée aux épouvantes
primitives où plus rien ne peut se juger. Toute
équité, comme toute dignité, ont disparu.

Le sentiment de l'innocence n'immunise pas contre les
sévices... J'ai vu mourir courageusement d'authentiques
bandits alors que des innocents allaient à la mort en trem-
blant de tous leurs membres[1].

1. Bela Just, *op. cit.*

Quand le même homme ajoute que, selon son expérience, les défaillances atteignent plus volontiers les intellectuels, il ne juge pas que cette catégorie d'hommes ait moins de courage que d'autres, mais seulement qu'elle a plus d'imagination. Confronté à la mort inéluctable, l'homme, quelles que soient ses convictions, est ravagé de fond en comble[1]. Le sentiment d'impuissance et de solitude du condamné ligoté, face à la coalition publique qui veut sa mort, est à lui seul une punition inimaginable. À cet égard aussi, il vaudrait mieux que l'exécution fût publique. Le comédien qui est en chaque homme pourrait alors venir au secours de l'animal épouvanté et l'aider à faire figure, même à ses propres yeux. Mais la nuit et le secret sont sans recours. Dans ce désastre, le courage, la force d'âme, la foi même risquent d'être des hasards. En règle générale, l'homme est détruit par l'attente de la peine capitale bien avant de mourir. On lui inflige deux morts, dont la première est pire que l'autre, alors qu'il n'a tué qu'une fois. Comparée à ce supplice, la peine du talion apparaît encore comme une loi de civilisation. Elle n'a jamais prétendu qu'il fallait crever les deux yeux de celui qui éborgne son frère.

Cette injustice fondamentale se répercute, d'ailleurs, sur les parents du supplicié. La victime a ses proches dont les souffrances sont généralement infinies et qui, la plupart du temps, désirent être vengés. Ils le sont, mais les parents du condamné connaissent

---

1. Un grand chirurgien, lui-même catholique, me confiait après expérience qu'il n'avertissait même pas les croyants, quand ils étaient atteints d'un cancer incurable. Le choc, selon lui, risquait de dévaster jusqu'à leur foi.

alors une extrémité de malheur qui les punit au-delà de toute justice. L'attente d'une mère, ou d'un père, pendant de longs mois, le parloir, les conversations fausses dont on meuble les courts instants passés avec le condamné, les images de l'exécution enfin, sont des tortures qui n'ont pas été imposées aux proches de la victime. Quels que soient les sentiments de ces derniers, ils ne peuvent désirer que la vengeance excède de si loin le crime et qu'elle torture des êtres qui partagent, violemment, leur propre douleur.

Je suis gracié, mon père, écrit un condamné à mort, je ne réalise pas tout à fait encore le bonheur qui m'échoit ; ma grâce a été signée le 30 avril et m'a été signifiée mercredi en revenant du parloir. J'ai aussitôt fait prévenir papa et maman qui n'avaient pas encore quitté la Santé. Imaginez d'ici leur bonheur [1].

On l'imagine, en effet, mais dans la mesure même où il est possible d'imaginer leur incessant malheur jusqu'à l'instant de la grâce, et le désespoir définitif de ceux qui reçoivent l'autre nouvelle, celle qui châtie, dans l'iniquité, leur innocence et leur malheur.

Pour en finir avec cette loi du talion, il faut constater que, même dans sa forme primitive, elle ne peut jouer qu'entre deux individus dont l'un est absolument innocent et l'autre absolument coupable. La victime, certes, est innocente. Mais la société qui est censée la représenter peut-elle prétendre à l'innocence ? N'est-elle pas responsable, au moins en partie, du crime qu'elle réprime avec tant de sévérité ?

1. R. P. Devoyod, *op. cit.* Impossible aussi de lire, sans en être bouleversé, les pétitions de grâce présentées par un père ou une mère qui, visiblement, ne comprennent pas le châtiment qui les frappe soudain.

Ce thème a souvent été développé et je ne reprendrai pas les arguments que les esprits les plus divers ont exposés depuis le XVIIIe siècle. On peut les résumer d'ailleurs en disant que toute société a les criminels qu'elle mérite. Mais s'agissant de la France, il est impossible de ne pas signaler les circonstances qui devraient rendre nos législateurs plus modestes. Répondant en 1952 à une enquête du *Figaro* sur la peine de mort, un colonel affirmait que l'institution des travaux forcés à perpétuité comme peine suprême reviendrait à constituer des conservatoires du crime. Cet officier supérieur semblait ignorer, et je m'en réjouis pour lui, que nous avons déjà nos conservatoires du crime, qui présentent avec nos maisons centrales cette différence appréciable qu'on peut en sortir à toute heure du jour et de la nuit : ce sont les bistrots et les taudis, gloires de notre République. Sur ce point, il est impossible de s'exprimer avec modération.

La statistique évalue à 64 000 les logements surpeuplés (de 3 à 5 personnes par pièce) dans la seule ville de Paris. Certes, le bourreau d'enfants est une créature particulièrement ignoble et qui ne suscite guère la pitié. Il est probable aussi (je dis probable) qu'aucun de mes lecteurs, placé dans les mêmes conditions de promiscuité, n'irait jusqu'au meurtre d'enfants. Il n'est donc pas question de diminuer la culpabilité de certains monstres. Mais ces monstres, dans des logements décents, n'auraient peut-être pas eu l'occasion d'aller si loin. Le moins qu'on puisse dire est qu'ils ne sont pas seuls coupables et il paraît difficile que le droit de les punir soit donné à ceux-là même qui subventionnent la betterave plutôt que la construction[1].

---

1. La France est le premier des pays consommateurs d'alcool, le quinzième des pays constructeurs [1957].

Mais l'alcool rend encore plus éclatant ce scandale. On sait que la nation française est systématiquement intoxiquée par sa majorité parlementaire,
pour des raisons généralement ignobles. Or le taux
de responsabilité de l'alcool dans la genèse des
crimes de sang est hallucinant. Un avocat (maître
Guillon) l'a estimé à 60 %. Pour le docteur Lagriffe,
ce taux va de 41,7 % à 72 %. Une enquête effectuée
en 1951, au centre de triage de la prison de Fresnes,
chez des condamnés de droit commun, a révélé
29 % d'alcooliques chroniques et 24 % de sujets
d'ascendance alcoolique. Enfin, 95 % des bourreaux
d'enfants sont des alcooliques. Ce sont là de beaux
chiffres. Nous pouvons mettre en regard un chiffre
plus superbe encore : la déclaration d'une maison
d'apéritifs qui déclarait au fisc, en 1953, 410 millions de bénéfices. La comparaison de ces chiffres
autorise à informer les actionnaires de ladite maison et les députés de l'alcool qu'ils ont tué certainement plus d'enfants qu'ils ne pensent. Adversaire de
la peine capitale, je suis fort loin de réclamer leur
condamnation à mort. Mais, pour commencer, il
me paraît indispensable et urgent de les conduire,
sous escorte militaire, à la prochaine exécution
d'un bourreau d'enfant et de leur délivrer à la sortie
un bulletin statistique qui comportera les chiffres
dont j'ai parlé.

Quant à l'État qui sème l'alcool, il ne peut s'étonner
de récolter le crime[1]. Il ne s'en étonne pas au demeu-
rant, et se borne à couper les têtes où lui-même a

1. Les partisans de la peine de mort firent grand bruit à la fin du
siècle dernier d'une augmentation de la criminalité, à partir de
1880, qui semblait parallèle à une diminution d'application de la
peine. Mais c'est en 1880 qu'a été promulguée la loi permettant
d'ouvrir sans autorisation préalable des débits de boisson. Après
cela, allez interpréter les statistiques !

versé tant d'alcool. Il fait justice imperturbablement, et se pose en créancier : sa bonne conscience n'est pas entamée. Tel ce représentant en alcools qui, répondant à l'enquête du *Figaro*, s'écriait : «Je sais ce que ferait le plus farouche défenseur de l'abolition si, ayant une arme à sa portée, il se trouvait subitement en présence d'assassins sur le point de tuer son père, sa mère, ses enfants ou son meilleur ami. Alors !» Cet «alors» semble lui-même un peu alcoolisé. Naturellement, le plus farouche défenseur de l'abolition tirerait sur ces meurtriers, à juste titre, et sans que cela enlève rien à ses raisons de défendre farouchement l'abolition. Mais s'il avait, de surcroît, un peu de suite dans les idées et si lesdits assassins sentaient un peu trop l'alcool, il irait ensuite s'occuper de ceux dont c'est la vocation d'intoxiquer les futurs criminels. Il est même tout à fait surprenant que les parents des victimes de crimes alcooliques n'aient jamais eu l'idée d'aller solliciter quelques éclaircissements dans l'enceinte du Parlement. C'est pourtant le contraire qui se passe et l'État, investi de la confiance générale, soutenu même par l'opinion publique, continue de corriger les assassins, même et surtout alcooliques, un peu comme il arrive que le souteneur corrige les laborieuses créatures qui assurent sa matérielle. Mais le souteneur, lui, ne fait pas de morale. L'État en fait. Sa jurisprudence, si elle admet que l'ébriété constitue parfois une circonstance atténuante, ignore l'alcoolisme chronique. L'ébriété n'accompagne pourtant que les crimes de violence, qui ne sont pas punis de mort, tandis que l'alcoolique chronique est capable aussi de crimes prémédités, qui lui vaudront la mort. L'État se réserve donc le droit de punir dans le seul cas où sa responsabilité est profondément engagée.

Est-ce à dire que tout alcoolique doit être déclaré

irresponsable par un État qui se frappera la poitrine jusqu'à ce que la nation ne boive plus que du jus de fruits ? Certainement non. Pas plus que les raisons tirées de l'hérédité ne doivent éteindre toute culpabilité. La responsabilité réelle d'un délinquant ne peut être appréciée avec précision. On sait que le calcul est impuissant à rendre compte du nombre de nos ascendants, alcooliques ou non. À l'extrémité des temps, il serait 10 puissance 22 fois plus grand que le nombre des habitants actuels de la terre. Le nombre de dispositions mauvaises ou morbides qu'ils ont pu nous transmettre est donc incalculable. Nous venons au monde chargés du poids d'une nécessité infinie. Il faudrait conclure en ce cas à une irresponsabilité générale. La logique voudrait que ni châtiment ni récompense ne fussent jamais prononcés et, du même coup, toute société deviendrait impossible. L'instinct de conservation des sociétés, et donc des individus, exige au contraire que la responsabilité individuelle soit postulée. Il faut l'accepter, sans rêver d'une indulgence absolue qui coïnciderait avec la mort de toute société. Mais le même raisonnement doit nous amener à conclure qu'il n'existe jamais de responsabilité totale ni, par conséquent, de châtiment ou de récompense absolus. Personne ne peut être récompensé définitivement, même pas les prix Nobel. Mais personne ne devrait être châtié absolument, s'il est estimé coupable, et, à plus forte raison, s'il risque d'être innocent. La peine de mort, qui ne satisfait véritablement ni à l'exemple ni à la justice distributive, usurpe de surcroît un privilège exorbitant, en prétendant punir une culpabilité toujours relative par un châtiment définitif et irréparable.

Si la peine capitale, en effet, est d'un exemple douteux et d'une justice boiteuse, il faut convenir, avec ses défenseurs, qu'elle est éliminatrice. La peine de mort élimine définitivement le condamné. Cela seul, à vrai dire, devrait exclure, pour ses partisans surtout, la répétition d'arguments hasardeux qui puissent être, nous venons de le voir, sans cesse contestés. Il est plus loyal de dire qu'elle est définitive parce qu'elle doit l'être, d'assurer que certains hommes sont irrécupérables en société, qu'ils constituent un danger permanent pour chaque citoyen et pour l'ordre social et qu'il faut donc, toute affaire cessante, les supprimer. Personne, du moins, ne peut contester l'existence de certains fauves sociaux, dont rien ne semble capable de briser l'énergie et la brutalité. La peine de mort, certes, ne résout pas le problème qu'ils posent. Convenons du moins qu'elle le supprime.

Je reviendrai à ces hommes. Mais la peine capitale ne s'applique-t-elle qu'à eux ? Peut-on nous assurer qu'aucun des exécutés n'est récupérable ? Peut-on même jurer qu'aucun n'est innocent ? Dans les deux cas, ne doit-on pas avouer que la peine capitale n'est éliminatrice que dans la mesure où elle est irréparable ? Hier, 15 mars 1957, a été exécuté en Californie Burton Abbott, condamné à mort pour avoir assassiné une fillette de quatorze ans. Voilà, je crois, le genre de crime odieux qui classe son auteur parmi les irrécupérables. Bien qu'Abbott ait toujours protesté de son innocence, il fut condamné. Son exécution avait été fixée le 15 mars, à 10 heures. À 9 h 10, un sursis était accordé pour permettre aux défenseurs de présenter un dernier recours[1]. À 11 heures, l'appel était rejeté. À 11 h 15, Abbott entrait dans

---

1. Il faut noter que l'usage, dans les prisons américaines, est de changer le condamné de cellule la veille de son exécution en lui annonçant la cérémonie qui l'attend.

la chambre à gaz. À 11 h 18, il respirait les premières bouffées de gaz. À 11 h 20, le secrétaire de
la Commission des grâces appelait au téléphone. La
Commission s'était ravisée. On avait cherché le gouverneur qui était parti en mer, puis on avait appelé
directement la prison. On tira Abbott de la chambre
à gaz. Il était trop tard. Si seulement le temps, hier,
avait été orageux au-dessus de la Californie, le gouverneur ne serait pas allé en mer. Il aurait téléphoné
deux minutes plus tôt : Abbott, aujourd'hui, serait
vivant et verrait peut-être son innocence prouvée.
Toute autre peine, même la plus dure, lui laissait cette
chance. La peine de mort ne lui en laissait aucune.

On estimera que ce fait est exceptionnel. Nos vies
le sont aussi et pourtant, dans l'existence fugitive
qui est la nôtre, ceci se passe près de nous, à une
dizaine d'heures d'avion. Le malheur d'Abbott n'est
pas tant une exception qu'un fait divers parmi
d'autres, une erreur qui n'est pas isolée, si nous en
croyons nos journaux (voir l'affaire Deshays, pour
ne citer que la plus récente). Le juriste d'Olivecroix,
appliquant, vers 1860, à la chance d'erreur judiciaire le calcul des probabilités, a d'ailleurs conclu
qu'environ un innocent était condamné sur deux
cent cinquante-sept cas. La proportion est faible ?
Elle est faible au regard des peines moyennes. Elle
est infinie au regard de la peine capitale. Quand
Hugo écrit que pour lui la guillotine s'appelle
Lesurques[1], il ne veut pas dire que tous les condamnés qu'elle décapite sont des Lesurques, mais qu'il
suffit d'un Lesurques pour qu'elle soit à jamais
déshonorée. On comprend que la Belgique ait
renoncé définitivement à prononcer la peine de

---

1. C'est le nom de l'innocent guillotiné dans l'affaire du *Courrier de Lyon*.

mort après une erreur judiciaire et que l'Angleterre ait posé la question de l'abolition après l'affaire Hayes. On comprend aussi les conclusions de ce procureur général qui, consulté sur le recours en grâce d'un criminel, très probablement coupable, mais dont la victime n'avait pas été retrouvée, écrivait : « La survie de X... assure à l'autorité la possibilité d'examiner utilement à loisir tout nouvel indice qui serait apporté ultérieurement de l'existence de sa femme[1]... À l'inverse, l'exécution de la peine capitale, en annulant cette possibilité hypothétique d'examen, donnerait, je le crains, à l'indice le plus menu, une valeur théorique, une force de regret que je crois inopportun de créer. » Le goût de la justice et de la vérité s'exprime ici de façon émouvante et il conviendrait de citer souvent, dans nos assises, cette « force de regret » qui résume si fermement le péril devant lequel se trouve tout juré. Une fois l'innocent mort, personne ne peut plus rien pour lui, en effet, que le réhabiliter, s'il se trouve encore quelqu'un pour le demander. On lui rend alors son innocence, qu'à vrai dire il n'avait jamais perdue. Mais la persécution dont il a été victime, ses affreuses souffrances, sa mort horrible, sont acquises pour toujours. Il ne reste qu'à penser aux innocents de l'avenir, pour que ces supplices leur soient épargnés. On l'a fait en Belgique. Chez nous, les consciences, apparemment, sont tranquilles.

Sans doute se reposent-elles sur l'idée que la justice, elle aussi, a fait des progrès et marche du même pas que la science. Quand le savant expert disserte en cour d'assises il semble qu'un prêtre ait parlé et le jury, élevé dans la religion de la science,

---

1. Le condamné était accusé d'avoir tué sa femme. Mais on n'avait pas retrouvé le corps de cette dernière.

opine. Pourtant, des affaires récentes, dont la principale fut l'affaire Besnard, nous ont donné une bonne idée de ce que pouvait être une comédie des experts. La culpabilité n'est pas mieux établie parce qu'elle l'a été dans une éprouvette, même graduée. Une deuxième éprouvette dira le contraire et l'équation personnelle garde toute son importance dans ces mathématiques périlleuses. La proportion des savants vraiment experts est la même que celle des juges psychologues, à peine plus forte que celle des jurys sérieux et objectifs. Aujourd'hui comme hier, la chance d'erreur demeure. Demain, une autre expertise dira l'innocence d'un Abbott quelconque. Mais Abbott sera mort, scientifiquement lui aussi, et la science qui prétend prouver aussi bien l'innocence que la culpabilité, n'est pas encore parvenue à ressusciter ceux qu'elle tue.

Parmi les coupables eux-mêmes, est-on sûr aussi de n'avoir jamais tué que des irréductibles ? Tous ceux qui ont, comme moi, à une époque de leur vie, suivi par nécessité les procès d'assises, savent qu'il entre beaucoup de hasards dans une sentence, fût-elle mortelle. La tête de l'accusé, ses antécédents (l'adultère est souvent considéré comme une circonstance aggravante par des jurés dont je n'ai jamais pu croire qu'ils fussent tous et toujours fidèles), son attitude (qui ne lui est favorable que si elle est conventionnelle, c'est-à-dire comédienne, la plupart du temps), son élocution même (les chevaux de retour savent qu'il ne faut ni balbutier ni parler trop bien), les incidents de l'audience appréciés sentimentalement (et le vrai, hélas, n'est pas toujours émouvant), autant de hasards qui influent sur la décision finale du jury. Au moment du verdict de mort, on peut être assuré qu'il a fallu, pour arriver à la plus certaine des peines, un grand concours d'incertitudes. Quand on sait que le verdict suprême dépend d'une estimation que fait le jury des circonstances atténuantes, quand on sait surtout que la réforme de 1832 a donné à nos jurys le pouvoir d'accorder des circonstances atténuantes *indéterminées*, on imagine la marge laissée à l'humeur momentanée des jurés. Ce n'est plus la loi qui prévoit avec précision les cas où la mort doit être donnée, mais le jury qui, après coup, l'apprécie, c'est le cas de le dire, au jugé. Comme il n'y a pas deux jurys comparables, celui qui est exécuté aurait pu ne pas l'être. Irrécupérable aux yeux des honnêtes gens de l'Ille-et-Vilaine, il se serait vu accorder un semblant d'excuse par les bons citoyens du Var. Malheureusement, le même couperet tombe dans les deux départements. Et il ne fait pas le détail.

Les hasards du temps rejoignent ceux de la géographie pour renforcer l'absurdité générale. L'ouvrier communiste français qui vient d'être guillotiné en Algérie pour avoir déposé une bombe (découverte avant qu'elle n'explose) dans le vestiaire d'une usine, a été condamné autant par son acte que par l'air du temps. Dans le climat actuel de l'Algérie, on a voulu à la fois prouver à l'opinion arabe que la guillotine était faite aussi pour les Français et donner satisfaction à l'opinion française indignée par les crimes du terrorisme. Au même moment, pourtant, le ministre qui couvrait l'exécution acceptait les voix communistes dans sa circonscription. Si les circonstances avaient été autres, l'inculpé s'en tirait à peu de frais et risquait seulement un jour, devenu député du parti, de boire à la même buvette que le ministre. De telles pensées sont amères et l'on voudrait qu'elles restent vivantes dans l'esprit de nos gouvernants. Ils doivent savoir que les temps et les mœurs changent ; un jour vient où le coupable, trop vite exécuté, n'apparaît plus si noir. Mais il est trop tard et il ne reste plus qu'à se repentir ou à oublier. Bien entendu, on oublie. La société, cependant, n'en est pas moins atteinte. Le crime impuni, selon les Grecs, infectait la cité. Mais l'innocence condamnée, ou le crime trop puni, à la longue, ne la souille pas moins. Nous le savons, en France.

Telle est, dira-t-on, la justice des hommes et, malgré ses imperfections, elle vaut mieux que l'arbitraire. Mais cette mélancolique appréciation n'est supportable qu'à l'égard des peines ordinaires. Elle est scandaleuse devant les verdicts de mort. Un ouvrage classique de droit français, pour excuser la peine de mort de n'être pas susceptible de degrés, écrit ainsi : « La justice humaine n'a nullement l'ambition d'assurer cette proportion. Pourquoi ? Parce qu'elle se sait infirme. » Faut-il donc conclure que cette infirmité nous autorise à prononcer un jugement absolu et, qu'incertaine de réaliser la justice pure, la société doive se précipiter, par les plus grands risques, à la suprême injustice ? Si la justice se sait infirme, ne conviendrait-il pas qu'elle se montrât modeste, et qu'elle laissât autour de ses sentences une marge suffisante pour que l'erreur éventuelle pût être réparée[1] ? Cette faiblesse où elle trouve pour elle-même, de façon permanente, une circonstance atténuante, ne devrait-elle pas l'accorder toujours au criminel lui-même ? Le jury peut-il décemment dire : « Si je vous fais mourir par erreur, vous me pardonnerez sur la considération des faiblesses de notre commune nature. Mais je vous

1. On s'est félicité d'avoir gracié Sillon, qui tua récemment sa fillette de quatre ans, pour ne pas la donner à sa mère qui voulait divorcer. On découvrit, en effet, pendant sa détention, que Sillon souffrait d'une tumeur au cerveau qui pouvait expliquer la folie de son acte.

condamne à mort sans considération de ces faiblesses ni de cette nature » ? Il y a une solidarité de
tous les hommes dans l'erreur et dans l'égarement.
Faut-il que cette solidarité joue pour le tribunal et
soit ôtée à l'accusé ? Non, et si la justice a un sens
en ce monde, elle ne signifie rien d'autre que la
reconnaissance de cette solidarité ; elle ne peut,
dans son essence même, se séparer de la compassion. La compassion, bien entendu, ne peut être ici
que le sentiment d'une souffrance commune et non
pas une frivole indulgence qui ne tiendrait aucun
compte des souffrances et des droits de la victime.
Elle n'exclut pas le châtiment, mais elle suspend
la condamnation ultime. Elle répugne à la mesure
définitive, irréparable, qui fait injustice à l'homme
tout entier puisqu'elle ne fait pas sa part à la misère
de la condition commune.

À vrai dire, certains jurys le savent bien qui, souvent, admettent des circonstances atténuantes dans
un crime que rien ne peut atténuer. C'est que la peine
de mort leur paraît alors excessive et qu'ils préfèrent
ne pas assez punir à punir trop. L'extrême sévérité
de la peine favorise alors le crime au lieu de le sanc-
tionner. Il ne se passe pas de session d'assises où l'on
ne lise dans notre presse qu'un verdict est incohérent
et que, devant les faits, il paraît ou insuffisant ou
excessif. Mais les jurés ne l'ignorent pas. Simplement, devant l'énormité de la peine capitale, ils préfèrent, comme nous le ferions nous-mêmes, passer
pour des ahuris plutôt que de compromettre leurs
nuits à venir. Se sachant infirmes, ils en tirent du
moins les conséquences qui conviennent. Et la vraie
justice est avec eux, dans la mesure, justement, où la
logique ne l'est pas.

Il est pourtant de grands criminels que tous les
jurys condamneraient où que ce soit, dans n'im-

porte quel temps. Leurs crimes sont certains et les preuves apportées par l'accusation rejoignent les aveux de la défense. Sans doute, ce qu'ils ont d'anormal et de monstrueux les classe déjà dans une rubrique pathologique. Mais les experts psychiatres affirment, dans la plupart des cas, leur responsabilité. Récemment, à Paris, un jeune homme, un peu faible de caractère, mais doux et affectueux, très uni aux siens, se trouve, selon ses aveux, agacé par une remarque de son père sur sa rentrée tardive. Le père lisait, assis devant la table de la salle à manger. Le jeune homme prend une hache et, par-derrière, frappe son père de plusieurs coups mortels. Puis il abat, de la même manière, sa mère qui se trouvait dans la cuisine. Il se déshabille, cache son pantalon ensanglanté dans l'armoire, va rendre visite, sans rien laisser paraître, aux parents de sa fiancée, revient ensuite chez lui et avise la police qu'il vient de trouver ses parents assassinés. La police découvre aussitôt le pantalon ensanglanté et obtient, sans difficultés, les aveux tranquilles du parricide. Les psychiatres conclurent à la responsabilité de ce meurtrier par agacement. Son étrange indifférence, dont il devait donner d'autres preuves en prison (se félicitant que l'enterrement de ses parents eût été suivi par beaucoup de monde : « Ils étaient très aimés », disait-il à son avocat) ne peut cependant être considérée comme normale. Mais le raisonnement était intact chez lui, apparemment.

Beaucoup de « monstres » présentent des visages aussi impénétrables. Ils sont éliminés, sur la seule considération des faits. Apparemment, la nature ou la grandeur de leurs crimes ne permet pas d'imaginer qu'ils puissent se repentir ou s'amender. Il faut seulement éviter qu'ils recommencent et il n'y a pas d'autre solution que de les éliminer. Sur cette frontière, et sur elle seule, la discussion autour de la peine de mort est légitime. Dans tous les autres cas, les arguments des conservateurs ne résistent pas à la critique des abolitionnistes. À cette limite, dans l'ignorance où nous sommes, un pari s'installe au contraire. Aucun fait, aucun raisonnement ne peut départager ceux qui pensent qu'une chance doit toujours être accordée au dernier des hommes et ceux qui estiment cette chance illusoire. Mais il est possible peut-être, sur cette dernière frontière, de dépasser la longue opposition entre partisans et adversaires de la peine de mort, en appréciant l'opportunité de cette peine, aujourd'hui, et en Europe. Avec beaucoup moins de compétence, j'essaierai de répondre ainsi au vœu d'un juriste suisse, le professeur Jean Graven, qui écrivait en 1952, dans sa remarquable étude sur le problème de la peine de mort :

... Devant le problème qui se pose derechef à notre conscience et à notre raison, nous pensons qu'une solution doit être recherchée non pas sur les conceptions, les problèmes et les arguments du passé, ni sur les espérances et les promesses théoriques de l'avenir, mais sur les idées, les données, et les nécessités actuelles[1].

On peut, en effet, disputer éternellement sur les bienfaits ou les ravages de la peine de mort à travers les siècles ou dans le ciel des idées. Mais elle joue un rôle ici et maintenant, et nous avons à nous définir ici et maintenant, en face du bourreau moderne. Que signifie la peine de mort pour les hommes du demi-siècle ?

1. *Revue de Criminologie et de Police technique*, Genève, numéro spécial, 1952.

Pour simplifier, disons que notre civilisation a perdu les seules valeurs qui, d'une certaine manière, peuvent justifier cette peine et souffre au contraire de maux qui nécessitent sa suppression. Autrement dit, l'abolition de la peine de mort devrait être demandée par les membres conscients de notre société, à la fois pour des raisons de logique et de réalisme.

De logique d'abord. Arrêter qu'un homme doit être frappé du châtiment définitif revient à décider que cet homme n'a plus aucune chance de réparer. C'est ici, répétons-le, que les arguments s'affrontent aveuglément et cristallisent dans une opposition stérile. Mais justement, nul parmi nous ne peut trancher sur ce point, car nous tous sommes juges et parties. De là notre incertitude sur le droit que nous avons de tuer et l'impuissance où nous sommes à nous convaincre mutuellement. Sans innocence absolue, il n'est point de juge suprême. Or, nous avons tous fait du mal dans notre vie, même si ce mal, sans tomber sous le coup des lois, allait jusqu'au crime inconnu. Il n'y a pas de justes, mais seulement des cœurs plus ou moins pauvres en justice. Vivre, du moins, nous permet de le savoir et d'ajouter à la somme de nos actions un peu du bien qui compensera, en partie, le mal que nous avons jeté dans le monde. Ce droit de vivre qui coïncide avec la chance de réparation est le droit naturel de tout homme, même le pire. Le dernier des criminels et le plus intègre des juges s'y retrouvent côte à côte, également misérables et solidaires. Sans ce droit, la vie morale est strictement impossible. Nul d'entre nous, en particulier, n'est autorisé à désespérer d'un seul homme, sinon après sa mort qui transforme sa vie en destin et permet alors le jugement définitif. Mais prononcer le jugement définitif avant la mort, décréter la clôture des comptes quand le créancier est encore vivant, n'appartient à aucun homme. Sur cette limite, au moins, qui juge absolument se condamne absolument.

Bernard Fallot, de la bande Masuy, au service de la Gestapo, qui fut condamné à mort après avoir reconnu les nombreux et terribles crimes dont il s'était rendu coupable, et qui mourut avec le plus grand courage, déclarait lui-même qu'il ne pouvait être gracié. «J'ai les mains trop rouges de sang, disait-il à un camarade de prison[1].» L'opinion, et celle de ses juges, le plaçaient certainement parmi les irrécupérables, et j'aurais été tenté de l'admettre si je n'avais lu un témoignage surprenant. Voici ce que Fallot disait au même compagnon, après avoir déclaré qu'il voulait mourir courageusement : «Veux-tu que je te dise mon plus profond regret ? Eh bien! c'est de ne pas avoir connu plus tôt la Bible que j'ai là. Je t'assure que je n'en serais pas là où j'en suis.» Il ne s'agit pas de céder à quelque imagerie conventionnelle et d'évoquer les bons forçats de Victor Hugo. Les siècles éclairés, comme on dit, voulaient supprimer la peine de mort sous prétexte que l'homme était foncièrement bon. Naturellement, il ne l'est pas (il est pire ou meilleur). Après vingt ans de notre superbe histoire, nous le savons bien. Mais c'est parce qu'il ne l'est pas que personne parmi nous ne peut s'ériger en juge absolu, et prononcer l'élimination définitive du pire des coupables, puisque nul d'entre nous ne peut prétendre à l'innocence absolue. Le jugement capital rompt la seule solidarité humaine indiscutable, la solidarité contre la mort, et il ne peut être légitimé que par

---

1. Jean Bocognano, *Quartier des fauves, prison de Fresnes*, Éditions du Fuseau.

une vérité ou un principe qui se place au-dessus des hommes.

En fait, le châtiment suprême a toujours été, à travers les siècles, une peine religieuse. Infligée au nom du roi, représentant de Dieu sur terre, ou par les prêtres, ou au nom de la société considérée comme un corps sacré, ce n'est pas la solidarité humaine qu'elle rompt alors, mais l'appartenance du coupable à la communauté divine, qui peut seule lui donner la vie. La vie terrestre lui est sans doute retirée, mais la chance de réparation lui est maintenue. Le jugement réel n'est pas prononcé, il le sera dans l'autre monde. Les valeurs religieuses, et particulièrement la croyance à la vie éternelle, sont donc seules à pouvoir fonder le châtiment suprême puisqu'elles empêchent, selon leur logique propre, qu'il soit définitif et irréparable. Il n'est alors justifié que dans la mesure où il n'est pas suprême.

L'Église catholique, par exemple, a toujours admis la nécessité de la peine de mort. Elle l'a infligée elle-même, et sans avarice, à d'autres époques. Aujourd'hui encore, elle la justifie et reconnaît à l'État le droit de l'appliquer. Si nuancée que soit sa position, on y trouve un sentiment profond qui a été exprimé directement, en 1937, par un conseiller national suisse de Fribourg, lors d'une discussion, au Conseil national, sur la peine de mort. Selon M. Grand, le pire des criminels, devant l'exécution menaçante, rentre en lui-même.

Il se repent et sa préparation à la mort en est facilitée. L'Église a sauvé un de ses membres, elle a accompli sa mission divine. Voilà pourquoi elle a constamment admis la peine de mort, non seulement comme un moyen de légitime défense, *mais comme un puissant moyen de salut*[1]...

---

1. C'est moi qui souligne.

Sans vouloir en faire une chose d'Église, la peine de mort peut revendiquer pour elle son efficacité quasi divine, comme la guerre.

En vertu du même raisonnement sans doute, on pouvait lire, sur l'épée du bourreau de Fribourg, la formule «Seigneur Jésus, tu es le Juge». Le bourreau se trouve alors investi d'une fonction sacrée. Il est l'homme qui détruit le corps pour livrer l'âme à la sentence divine, dont nul ne préjuge. On estimera peut-être que de pareilles formules traînent avec elles des confusions assez scandaleuses. Et sans doute, pour qui s'en tient à l'enseignement de Jésus, cette belle épée est un outrage de plus à la personne du Christ. On peut comprendre, dans cette lumière, le mot terrible d'un condamné russe que les bourreaux du tsar allaient pendre, en 1905, et qui dit fermement au prêtre venu le consoler par l'image du Christ : «Éloignez-vous et ne commettez pas de sacrilège.» L'incroyant ne peut non plus s'empêcher de penser que des hommes qui ont mis au centre de leur foi la bouleversante victime d'une erreur judiciaire devraient se montrer au moins réticents devant le meurtre légal. On pourrait aussi rappeler aux croyants que l'empereur Julien, avant sa conversion, ne voulait pas donner de charges officielles aux chrétiens parce que ceux-ci refusaient systématiquement de prononcer des condamnations à mort ou d'y prêter la main. Pendant cinq siècles, les chrétiens ont donc cru que le strict enseignement moral de leur maître interdisait de tuer. Mais la foi catholique ne se nourrit pas seulement de l'enseignement personnel du Christ. Elle s'alimente aussi à l'Ancien Testament comme à saint Paul et aux Pères. En particulier l'immortalité de l'âme, et la résurrection universelle des corps sont des articles de dogme. Dès lors, la peine capitale reste, pour le croyant, un châtiment provisoire qui laisse en suspens la sentence définitive, une disposition nécessaire seulement à l'ordre terrestre, une mesure d'administration qui, loin d'en finir avec le coupable, peut favoriser au contraire sa rédemption. Je ne dis pas que tous les croyants pensent ainsi et j'imagine sans peine que des catholiques puissent se tenir plus près du Christ que de Moïse ou de saint Paul. Je dis seulement que la foi dans l'immortalité de l'âme a permis au catholicisme de poser le problème de la peine capitale en des termes très différents, et de la justifier.

Mais que signifie cette justification dans la société où nous vivons et qui, dans ses institutions comme dans ses mœurs, est désacralisée? Lorsqu'un juge athée, ou sceptique, ou agnostique, inflige la peine de mort à un condamné incroyant, il prononce un châtiment définitif qui ne peut être révisé. Il se place sur le trône de Dieu[1], sans en avoir les pouvoirs, et d'ailleurs sans y croire. Il tue, en somme, parce que ses aïeux croyaient à la vie éternelle. Mais la société, qu'il prétend représenter, prononce en réalité une pure mesure d'élimination, brise la communauté humaine unie contre la mort, et se pose elle-même en valeur absolue puisqu'elle prétend au pouvoir absolu. Sans doute, elle délègue un prêtre au condamné, par tradition. Le prêtre peut espérer légitimement que la peur du châtiment aidera à la conversion du coupable. Qui acceptera cependant qu'on justifie, par ce calcul, une peine infligée et reçue le plus souvent dans un tout autre esprit? C'est une chose que de croire avant d'avoir peur, une autre

---

1. On sait que la décision du jury est précédée de la formule: «Devant Dieu et ma conscience...»

de trouver la foi après la peur. La conversion par le feu ou le couperet sera toujours suspecte, et on pouvait croire que l'Église avait renoncé à triompher des infidèles par la terreur. De toute manière, la société désacralisée n'a rien à tirer d'une conversion dont elle fait profession de se désintéresser. Elle édicte un châtiment sacré et lui retire en même temps ses excuses et son utilité. Elle délire à son propre sujet, elle élimine souverainement les méchants de son sein, comme si elle était la vertu même. Tel un homme honorable qui tuerait son fils dévoyé en disant : « Vraiment, je ne savais plus qu'en faire. » Elle s'arroge le droit de sélectionner, comme si elle était la nature elle-même, et d'ajouter d'immenses souffrances à l'élimination, comme si elle était un dieu rédempteur.

Affirmer en tout cas qu'un homme doit être absolument retranché de la société parce qu'il est absolument mauvais revient à dire que celle-ci est absolument bonne, ce que personne de sensé ne croira aujourd'hui. On ne le croira pas et l'on pensera plus facilement le contraire. Notre société n'est devenue si mauvaise et si criminelle que parce qu'elle s'est érigée elle-même en fin dernière et n'a plus rien respecté que sa propre conservation ou sa réussite dans l'histoire. Désacralisée, elle l'est, certes. Mais elle a commencé de se constituer au XIXᵉ siècle un ersatz de religion, en se proposant elle-même comme objet d'adoration. Les doctrines de l'évolution et les idées de sélection qui les accompagnaient ont érigé en but dernier l'avenir de la société. Les utopies politiques qui se sont greffées sur ces doctrines ont placé, à la fin des temps, un âge d'or qui justifiait d'avance toutes les entreprises. La société s'est habituée à légitimer ce qui pouvait servir son avenir et à user par conséquent du châtiment

suprême de manière absolue. Dès cet instant, elle a
considéré comme crime et sacrilège tout ce qui
contrariait son projet et ses dogmes temporels.
Autrement dit, le bourreau, de prêtre, est devenu
fonctionnaire. Le résultat est là, autour de nous. Il
est tel que cette société du demi-siècle qui a perdu le
droit, en bonne logique, de prononcer la peine capitale, devrait, maintenant, la supprimer pour des raisons de réalisme.

Devant le crime, comment se définit en effet notre
civilisation? La réponse est simple: depuis trente
ans, les crimes d'État l'emportent de loin sur les
crimes des individus. Je ne parle même pas des
guerres, générales ou localisées, quoique le sang
aussi soit un alcool, qui intoxique, à la longue,
comme le plus chaleureux des vins. Mais le nombre
des individus tués directement par l'État a pris des
proportions astronomiques et passe infiniment celui
des meurtres particuliers. Il y a de moins en moins
de condamnés de droit commun et de plus en plus
de condamnés politiques. La preuve en est que chacun d'entre nous, si honorable soit-il, peut envisager la possibilité d'être un jour condamné à mort,
alors que cette éventualité aurait paru bouffonne au
début du siècle. La boutade d'Alphonse Karr: «Que
messieurs les assassins commencent!» n'a plus
aucun sens. Ceux qui font couler le plus de sang
sont les mêmes qui croient avoir le droit, la logique
et l'histoire avec eux.
    Ce n'est plus tant contre l'individu que notre
société doit donc se défendre que contre l'État. Il se
peut que les proportions soient inversées dans trente
ans. Mais, pour le moment, la légitime défense doit
être opposée à l'État et à lui d'abord. La justice et
l'opportunité la plus réaliste commandent que la loi

protège l'individu contre un État livré aux folies du sectarisme ou de l'orgueil. «Que l'État commence et abolisse la peine de mort!» devrait être, aujourd'hui, notre cri de ralliement.

Les lois sanglantes, a-t-on dit, ensanglantent les mœurs. Mais il arrive un état d'ignominie, pour une société donnée où, malgré tous les désordres, les mœurs ne parviennent jamais à être aussi sanglantes que les lois. La moitié de l'Europe connaît cet état. Nous autres Français, l'avons connu et risquons de le connaître à nouveau. Les exécutés de l'occupation ont entraîné les exécutés de la Libération dont les amis rêvent de revanche. Ailleurs des États chargés de trop de crimes se préparent à noyer leur culpabilité dans des massacres plus grands encore. On tue pour une nation ou pour une classe divinisées. On tue pour une société future, divinisée elle aussi. Qui croit tout savoir imagine tout pouvoir. Des idoles temporelles, qui exigent une foi absolue, prononcent inlassablement des châtiments absolus. Et des religions sans transcendance tuent en masse des condamnés sans espérance.

Comment la société européenne du demi-siècle survivrait-elle alors, sans décider de défendre les personnes, par tous les moyens, contre l'oppression étatique? Interdire la mise à mort d'un homme serait proclamer publiquement que la société et l'État ne sont pas des valeurs absolues, décréter que rien ne les autorise à légiférer définitivement, ni à produire de l'irréparable. Sans la peine de mort, Gabriel Péri et Brasillach seraient peut-être parmi nous. Nous pourrions alors les juger, selon notre opinion, et dire fièrement notre jugement, au lieu qu'ils nous jugent maintenant, et que nous nous taisons. Sans la peine de mort, le cadavre de Rajk n'empoisonnerait pas la Hongrie, l'Allemagne moins coupable serait mieux reçue de l'Europe, la révolution russe n'agoniserait pas dans la honte, le sang algérien pèserait moins sur nos consciences. Sans la peine de mort, l'Europe, enfin, ne serait pas infectée par les cadavres accumulés depuis vingt ans dans sa terre épuisée. Sur notre continent, toutes les valeurs sont bouleversées par la peur et la haine, entre les individus comme entre les nations. La lutte des idées se fait à la corde et au couperet. Ce n'est plus la société humaine et naturelle qui exerce ses droits de répression, mais l'idéologie qui règne et exige ses sacrifices humains. «L'exemple que donne toujours l'échafaud, a-t-on pu écrire[1], c'est que la vie de l'homme cesse d'être sacrée lorsqu'on croit utile de le tuer.» Apparemment, cela devient de plus en plus utile, l'exemple se propage, la contagion se répand partout. Avec elle, le désordre du nihilisme. Il faut donc donner un coup d'arrêt spectaculaire et proclamer, dans les principes et dans les institutions, que la personne humaine est au-dessus de l'État. Toute mesure, aussi bien, qui diminuera la pression des forces sociales sur l'individu, aidera à décongestionner une Europe qui souffre d'un afflux de sang, lui permettra de mieux penser et de s'acheminer vers la guérison. La maladie de l'Europe est de ne croire à rien et de prétendre tout savoir. Mais elle ne sait pas tout, il s'en faut, et, à en juger par la révolte et l'espérance où nous sommes, elle croit à quelque chose : elle croit que l'extrême misère de l'homme, sur une limite mystérieuse, touche à son extrême grandeur. La foi, pour la majorité des Européens, est perdue. Avec elle, les justifications qu'elle apportait dans l'ordre du châtiment. Mais la majorité des Européens vomissent aussi l'idolâtrie d'État qui a prétendu

---

1. Francart.

remplacer la foi. Désormais à mi-chemin, certains et incertains, décidés à ne jamais subir et ne jamais opprimer, nous devrions reconnaître en même temps notre espoir et notre ignorance, refuser la loi absolue, l'institution irréparable. Nous en savons assez pour dire que tel grand criminel mérite les travaux forcés à perpétuité. Mais nous n'en savons pas assez pour décréter qu'il soit ôté à son propre avenir, c'est-à-dire à notre commune chance de réparation. Dans l'Europe unie de demain, à cause de ce que je viens de dire, l'abolition solennelle de la peine de mort devrait être le premier article du Code européen que nous espérons tous.

Des idylles humanitaires du xviiie siècle aux échafauds sanglants, la route est droite et les bourreaux d'aujourd'hui, chacun le sait, sont humanistes. On ne saurait trop, par conséquent se méfier de l'idéologie humanitaire dans un problème comme celui de la peine de mort. Au moment de conclure, je voudrais donc répéter que ce ne sont pas des illusions sur la bonté naturelle de la créature, ni la foi dans un âge doré à venir, qui expliquent mon opposition à la peine de mort. Au contraire, l'abolition me paraît nécessaire pour des raisons de pessimisme raisonné, de logique et de réalisme. Non que le cœur n'ait pas de part à ce que j'ai dit. Pour qui vient de passer des semaines dans la fréquentation des textes, des souvenirs, des hommes qui, de près ou de loin, touchent à l'échafaud, il ne saurait être question de sortir de ces affreux défilés tel qu'on y était entré. Mais je ne crois pas, pour autant, il faut le répéter, qu'il n'y ait nulle responsabilité en ce monde et qu'il faille céder à ce penchant moderne qui consiste à tout absoudre, la victime et le tueur,

dans la même confusion. Cette confusion purement
sentimentale est faite de lâcheté plus que de généro-
sité et finit par justifier ce qu'il y a de pire en ce
monde. À force de bénir, on bénit aussi le camp
d'esclaves, la force lâche, les bourreaux organisés,
le cynisme des grands monstres politiques ; on livre
enfin ses frères. Cela se voit autour de nous. Mais
justement, dans l'état actuel du monde, l'homme du
siècle demande des lois et des institutions de conva-
lescence, qui le brident sans le briser, qui le conduisent sans l'écraser. Lancé dans le dynamisme sans
frein de l'histoire, il a besoin d'une physique et de
quelques lois d'équilibre. Il a besoin, pour tout dire,
d'une société de raison et non de cette anarchie où
l'ont plongé son propre orgueil et les pouvoirs
démesurés de l'État.

J'ai la conviction que l'abolition de la peine de
mort nous aiderait à avancer sur le chemin de cette
société. La France pourrait, prenant cette initiative,
proposer de l'étendre aux pays non abolitionnistes de
part et d'autre du rideau de fer. Mais qu'elle donne
en tout cas l'exemple. La peine capitale serait alors
remplacée par les travaux forcés, à perpétuité pour
les criminels jugés irréductibles, à terme pour les
autres. À ceux qui estiment que cette peine est plus
dure que la peine capitale, on répondra en s'éton-
nant qu'ils n'aient pas proposé, dans ce cas, de la
réserver aux Landru et d'appliquer la peine capitale
aux criminels secondaires. On leur rappellera aussi
que les travaux forcés laissent au condamné la possibilité de choisir la mort, tandis que la guillotine
n'ouvre aucun chemin de retour. À ceux qui estiment, au contraire, que les travaux forcés sont une
peine trop faible, on répondra d'abord qu'ils manquent d'imagination et ensuite que la privation de la
liberté leur paraît un châtiment léger dans la seule

mesure où la société contemporaine nous a appris à mépriser la liberté[1].

Que Caïn ne soit pas tué, mais qu'il conserve aux yeux des hommes un signe de réprobation, voilà en tout cas, la leçon que nous devons tirer de l'Ancien Testament, sans parler des Évangiles, plutôt que de nous inspirer des exemples cruels de la loi mosaïque. Rien n'empêche en tout cas qu'une expérience, limitée dans le temps (pour dix ans, par exemple) soit tentée chez nous, si notre Parlement est encore incapable de racheter ses votes sur l'alcool par cette grande mesure de civilisation que serait l'abolition définitive. Et si vraiment l'opinion publique, et ses représentants, ne peuvent renoncer à cette loi de paresse qui se borne à éliminer ce qu'elle ne sait amender, que, du moins, en attendant un jour de renaissance et de vérité, nous n'en fassions pas cet «abattoir solennel[2]» qui souille notre société. La peine de mort, telle qu'elle est appliquée, et si rarement qu'elle le soit, est une dégoûtante boucherie, un outrage infligé à la personne et au corps de l'homme. Cette détroncation, cette tête vivante et déracinée, ces longs jets de sang, datent d'une époque barbare qui croyait impressionner le peuple par des

---

1. Voir aussi le rapport sur la peine de mort du représentant Dupont, à l'Assemblée nationale, le 31 mai 1791 : «Une humeur âcre et brûlante le (l'assassin) consume ; ce qu'il redoute le plus, c'est le repos ; c'est un état qui le laisse avec lui-même, c'est pour en sortir qu'il brave continuellement la mort et cherche à la donner ; la solitude et sa conscience, voilà son véritable supplice. Cela ne nous indique-t-il pas quel genre de punition vous devez lui infliger, quel est celui auquel il sera sensible ? *N'est-ce pas dans la nature de la maladie qu'il faut prendre le remède qui doit la guérir.*» C'est moi qui souligne la dernière phrase. Elle fait de ce représentant peu connu un véritable précurseur de nos psychologies modernes.

2. Tarde.

spectacles avilissants. Aujourd'hui où cette ignoble mort est administrée à la sauvette, quel est le sens de ce supplice ? La vérité est qu'à l'âge nucléaire nous tuons comme à l'âge du peson. Et il n'est pas un homme de sensibilité normale qui, à la seule idée de cette grossière chirurgie, n'en vienne à la nausée. Si l'État français est incapable de triompher de lui-même, sur ce point, et d'apporter à l'Europe un des remèdes dont elle a besoin, qu'il réforme pour commencer le mode d'administration de la peine capitale. La science qui sert à tant tuer pourrait au moins servir à tuer décemment. Un anesthésique qui ferait passer le condamné du sommeil à la mort, qui resterait à sa portée pendant un jour au moins pour qu'il en use librement, et qui lui serait administré, sous une autre forme, dans le cas de volonté mauvaise ou défaillante, assurerait l'élimination, si l'on y tient, mais apporterait un peu de décence là où il n'y a, aujourd'hui, qu'une sordide et obscène exhibition.

J'indique ces compromis dans la mesure où il faut parfois désespérer de voir la sagesse et la vraie civilisation s'imposer aux responsables de notre avenir. Pour certains hommes, plus nombreux qu'on ne croit, savoir ce qu'est réellement la peine de mort et ne pouvoir empêcher qu'elle s'applique, est physiquement insupportable. À leur manière, ils subissent aussi cette peine, et sans aucune justice. Qu'on allège au moins le poids des sales images qui pèsent sur eux, la société n'y perdra rien. Mais cela même, à la fin, sera insuffisant. Ni dans le cœur des individus ni dans les mœurs des sociétés, il n'y aura de paix durable tant que la mort ne sera pas mise hors la loi.

JEAN BLOCH-MICHEL

La peine de mort
en France

En dépit de quelques différences de détails, le tableau qu'Arthur Koestler dresse pour l'Angleterre du XIXe siècle pourrait être celui de la France du XVIIIe. Si l'influence de Beccaria et de Voltaire se faisait sentir dans quelques cercles restreints, la peine de mort n'était alors que peu discutée et, pour la plupart, ses justifications paraissaient aller de soi. J.-J. Rousseau admet que la vie du citoyen peut n'être qu'«un don conditionnel de l'État». Montesquieu déclare que la peine de mort «est tirée de la nature des choses, puisée dans la raison, dans les sources du bien et du mal». Pour Diderot, «c'est parce que la vie est le plus grand des biens que chacun a consenti à ce que la société eût le droit de l'ôter à celui qui l'ôterait aux autres». Au siècle suivant, Benjamin Constant, largement influencé par le libéralisme anglais, reprend l'argumentation même qui a permis aux magistrats britanniques de conserver trop longtemps à la peine capitale un champ d'application aussi excessif :

J'aime mieux, écrit-il dans son *Commentaire sur Filangeri*, quelques bourreaux infâmes que beaucoup de geôliers, de gendarmes, de sbires ; j'aime mieux qu'un petit

nombre d'agents infâmes se fassent des machines de mort
que l'horreur publique entoure que si partout on voyait,
pour de misérables salaires, des hommes réduits à la qualité de dogues intelligents...

La théorie : plutôt le bourreau que la police, avait,
on le voit, traversé la Manche. Mais revenons à l'Ancien Régime. Non seulement l'accord était quasi
général sur la nécessité de la peine capitale, mais son
application donnait lieu à tous les excès qu'Arthur
Koestler dénonce pour son propre pays. Il est inutile
de revenir ici sur la description des foules qui entou-
raient les gibets. Citons seulement ce mot célèbre :
alors qu'on exécutait Damiens, par le plomb fondu,
l'huile bouillante et l'écartèlement, un académicien
se donna beaucoup de peine pour fendre la presse et
arriver au premier rang. Le maître exécuteur des
hautes œuvres l'aperçut et dit : « Laissez passer Monsieur, c'est un amateur. »

La peine de mort, outre de tels amateurs, trouvait
aussi des avocats comme, heureusement, elle n'en a
plus guère. Tel le célèbre Servan, avocat général au
Parlement de Grenoble. Il n'est pas inutile de citer
le discours qu'il prononça, en 1766, sur l'administration de la Justice criminelle :

Dressez des échafauds, allumez des bûchers, traînez le
coupable dans les places publiques, appelez le peuple à
grands cris : vous l'entendrez alors applaudir à la proclamation de vos jugements, comme à celle de la paix et de la
liberté ; vous le verrez accourir à ces terribles spectacles
comme au triomphe des lois ; au lieu de ces vains regrets,
de cette imbécile pitié, vous verrez éclater cette joie et cette
mâle insensibilité qu'inspirent le goût de la paix et l'horreur du crime, chacun voyant encore son ennemi dans le
coupable, au lieu d'accuser le supplice d'une vengeance
trop dure, n'y verra que la justice des lois. Tout rempli de

ces terribles images et de ces idées salutaires, chaque citoyen viendra les répandre dans sa famille ; et là, par de longs récits faits avec autant de chaleur qu'avidement écoutés, ses enfants, rangés autour de lui, ouvriront leur jeune mémoire pour recevoir, en traits inaltérables, l'idée du crime et celle du châtiment, l'amour des lois et de la patrie, le respect et la confiance pour la magistrature. Les habitants des campagnes, témoins aussi de ces exemples, les sèmeront autour de leurs cabanes, et le goût de la vertu s'enracinera dans ces âmes grossières.

Un pareil discours se passe évidemment de commentaires. On ne peut pourtant se priver de citer celui, plein de bon sens, que lui donne Ducpétiaux, en 1827, paraphrasant Beccaria dans son ouvrage sur la peine de mort :

Pour que la peine de mort soit efficace, il faut que les exécutions soient répétées à des époques assez rapprochées ; pour que les exécutions soient rapprochées, il est indispensable que les offenses soient fréquentes ; aussi, la prétendue efficacité du supplice capital se base sur la fréquence des crimes qu'il devrait prévenir.

Malgré les efforts des avocats de la peine de mort, celle-ci devait recevoir de premières et importantes limitations dans les premières années de la Révolution. Limitation dans son champ d'application : le code de 1791 réduit à trente-deux le nombre de crimes capitaux, alors que l'ancienne loi en comptait cent quinze. Limitation d'un autre ordre, également, qui consiste à ne plus pratiquer qu'un seul mode d'exécution.

Jusqu'à l'abrogation de la question préalable, par Louis XVI, en 1780 — abrogation qu'il imposa par une ordonnance en 1788 — la procédure criminelle était restée exactement celle qu'avait fixée l'ordonnance de 1670, dont on a pu dire qu'elle consacrait des pratiques anachroniques et rétrogrades dès son premier jour. En fait, si Louis XVI supprime la torture, il ne le fait pas sans hésitations :

Nous sommes bien éloignés de nous déterminer trop facilement à abolir les lois qui sont anciennes et autorisées par un long usage. Il est de notre sagesse de ne point ouvrir de facilités pour introduire en toutes choses un droit nouveau qui ébranlerait les principes et pourrait conduire par degrés à des innovations dangereuses...

Aussi, afin de ne point ébranler les principes, le roi ne supprime que la question. La peine de mort, en revanche, demeure ce qu'elle est.

Elle peut donc être administrée selon quatre procédés : la décollation, la potence, la roue et le bûcher[1].

1. Si la procédure ne prévoyait que ces quatre modes d'exécution, il n'était pourtant pas impossible, dans des circonstances exceptionnelles, de trouver mieux. Voici la description, par Voltaire, de l'exécution de Damiens :

Le prisonnier fut placé, vers les cinq heures, sur un échafaud de huit pieds et demi carrés. On le lia avec de grosses cordes retenues par des cercles de fer, qui assujettissaient ses bras et ses cuisses. On commença par lui brûler la main dans un brasier rempli de soufre allumé ; ensuite, il fut tenaillé avec de grosses pinces ardentes, aux bras, aux cuisses et à la poitrine. On lui versa du plomb fondu avec de la poix résine et de l'huile bouillante sur toutes les plaies. Ces supplices réitérés lui arrachaient les plus affreux hurlements. Quatre chevaux vigoureux, fouettés par quatre valets de bourreau, tirèrent les cordes qui portaient sur les plaies sanglantes et enflammées du patient ; les tirades et les secousses durèrent une heure. Les membres s'allongèrent et ne se séparèrent pas ; les bourreaux coupèrent enfin quelques muscles ; les membres se détachèrent l'un après l'autre. Damiens, ayant perdu deux cuisses et un bras, respirait encore, et n'expira que lorsque le bras qui lui restait fut séparé de son tronc tout sanglant (*Histoire du Parlement de Paris*, chap. 67).

Louis XV fut si satisfait du supplice de Damiens qu'il donna six mille livres de pension aux deux rapporteurs qui avaient instruit le procès, deux mille au premier greffier et quinze cents au second.

Le cérémonial qui accompagne le jugement — les accusés étant le plus souvent exécutés le jour même du prononcé de la sentence — est d'une telle complication que, condamné à midi, un individu n'a aucune chance d'être exécuté avant la nuit ou le lendemain matin. Tout le temps qui s'écoule entre le jugement et l'exécution est rempli par des formalités nombreuses et complexes sur lesquelles il est sans doute inutile d'insister.

En ce qui concerne les modes d'exécution, ils sont décidés par les juges, selon le crime commis et la personne du criminel.

La décollation, qui s'exécute à l'épée — et qui se termine souvent à la hachette — est réservée aux nobles, du moins quand la condamnation ne va pas jusqu'à les priver de leur privilège.

La potence est pour les roturiers qui n'ont mérité ni la roue ni le bûcher. C'est-à-dire qu'elle s'applique le plus souvent aux crimes contre la propriété. De plus, c'est un mode d'exécution plus fréquent pour les femmes, qu'on ne rouait pas afin de ne pas offenser la modestie des spectateurs.

Voici, citée par Ancel (*Crimes et Châtiments au XVIIIᵉ siècle*), une description de l'exécution par la potence :

Après que l'on a attaché au cou des victimes trois cordes, savoir les deux *tortouses* qui sont des cordes grosses comme le petit doigt et le *jet*, ainsi appelé parce qu'il ne sert qu'à jeter le criminel hors de l'échelle, l'exécuteur monte le premier à reculons et aide au moyen de cordes au criminel à monter de même. Le confesseur monte ensuite dans le bon sens et, pendant qu'il exhorte le patient, l'exécuteur attache les *tortouses* au bras de la potence ; et lorsque le confesseur commence à descendre, l'exécuteur, d'un coup de genou, aidé du jet, fait quitter l'échelle au patient qui se trouve suspendu en l'air, les nœuds coulants des *tortouses* lui serrant le cou. Alors l'exécuteur, se tenant des mains au bras de la potence, monte sur les mains liées du patient et, à force de coups de genou dans l'estomac et de secousses, il termine le supplice par la mort du patient. Il y a des Parlements ou l'exécuteur, laissant les *tortouses* plus longues, monte sur les épaules du patient et, à coups de talon dans l'estomac, en faisant faire quatre tours au patient, termine plus promptement son supplice.

Ajoutons que les femmes avaient le plus souvent le visage voilé et que, au moment où le confesseur descendait l'échelle, la foule réunie pour assister au spectacle entonnait le *Salve Regina*. Le bourreau attendait la fin de l'hymne pour pousser la victime loin de l'échelle.

Le corps restait habituellement une journée sur la potence, puis on le jetait à la voirie, à moins de dispositifs spéciaux de la sentence prescrivant de le brûler, de disperser ses cendres au vent ou de l'exposer sur un chemin public.

La roue était réservée aux criminels coupables de meurtre, d'assassinat, de vol de grand chemin, d'assassinat avec préméditation, de vol avec effraction. Elle s'appliquait aux récidivistes, à ceux qui s'étaient rendus coupables de viol sur une fille non nubile. La roue est également un châtiment destiné à punir parfois des crimes non consommés : guet-apens, dénonciation calomnieuse, même sans effet. Elle est appliquée aux nobles dégradés, après qu'on a noirci et brisé leurs armes et écus devant l'échafaud. C'est aussi le mode d'exécution des parricides, des uxoricides, des assassins de prêtres. Tous ces derniers devaient, auparavant, faire amende honorable puis leurs corps, après le supplice de la roue, étaient brûlés, *soit vifs, soit morts*. Ce mode d'exécution fut en usage en France jusqu'en 1791. Il se composait d'un double supplice dont voici la description, que j'emprunte encore à Ancel :

Premier supplice : On dresse un échafaud sur le milieu duquel est attachée à plat une croix de Saint-André, faite avec deux solives assemblées au milieu où elles se croisent, sur lesquelles il y a des entailles qui correspondent au milieu des cuisses, des jambes, du haut et du bas des bras. Le criminel nu, en chemise, étendu sur cette croix, le visage tourné vers le ciel, l'exécuteur ayant relevé sa chemise aux bras et aux cuisses, l'attache sur la croix avec des cordes à toutes les jointures et lui met la tête sur une pierre. En cet état, armé d'une barre de fer carrée, large d'un pouce et demi, arrondie avec un bouton à la poignée, il donne un coup violent entre chaque ligature, vis-à-vis de chaque encoche et finit par deux ou trois coups à l'estomac.

Deuxième supplice : ... Le corps du criminel est porté sur une petite roue de carrosse dont on a scié le moyeu en dehors et qui est placée horizontalement sur un pivot. L'exécuteur, après lui avoir plié les cuisses en dessous, de façon que les talons touchent au derrière de la tête, l'attache à cette roue en le liant de toutes parts et le laisse ainsi exposé au public, plus ou moins de temps. Quelquefois on l'expose sur un grand chemin où on le laisse pour toujours.

L'exécuteur frappait donc la victime de onze coups de barre : deux coups pour chaque membre et trois sur le corps. Le plus souvent, le patient était encore en vie quand on l'attachait sur la roue du carrosse où il devait attendre la mort. À moins que la sentence ne comportât pour peine supplémentaire d'être brûlé vif, après avoir été roué.

Il arrivait aussi que le jugement comportât un *retentum in mente curiae*, c'est-à-dire une disposition secrète, non communiquée à la victime, selon laquelle l'exécuteur devrait étrangler le condamné avec une cordelette au cours du supplice. Le *reten-*

tum fixait avec précision le nombre de coups de barre qui devaient être donnés avant d'achever le supplicié.

Dernière forme d'exécution : le bûcher. Il était généralement réservé aux parricides, aux empoisonneurs, uxoricides, sodomites et incendiaires. À partir de 1750, ce supplice peut être combiné, comme nous venons de le dire, avec celui de la roue ou celui de la potence. Dans ce dernier cas, il s'agissait de brûler un corps mort, alors que dans le premier il s'agissait d'un être soit mort, soit vif. Si curieux que cela puisse paraître, cette combinaison des deux supplices avait moins pour objet d'aggraver le premier que d'alléger le second. En brûlant un homme déjà roué, on abrégeait le supplice du feu, considéré comme plus atroce que celui de la roue.

Le procédé employé ne mérite pas de longues descriptions. Indiquons seulement que, contrairement à l'image répandue par la plupart des œuvres qui représentent des scènes de cette sorte, le condamné n'était pas placé au-dessus, mais au centre du bûcher, la tête dépassant à peine le tas de fagots, de bûches et de paille qui le constituait. Une sorte de tranchée était laissée libre jusqu'au centre, par laquelle on amenait le condamné au poteau où on le liait. Puis le bûcher était allumé *de l'intérieur*, c'est-à-dire le plus près possible du condamné, et l'exécuteur se retirait par la tranchée qu'il comblait de fagots et de paille à mesure qu'il s'éloignait.

Rien n'indique, selon Ancel, que les condamnés aient été revêtus d'une chemise soufrée, ni que les fagots aient été liés par un croc de batelier que le bourreau enfonçait dans le cœur de la victime immédiatement après avoir allumé le bûcher, comme cela a parfois été dit.

On ne peut éviter d'insister sur un caractère très

particulier que prenait donc l'exécution sous l'Ancien Régime : elle comportait des mesures destinées à compromettre, sinon à détruire, toute vie future, telle que la conçoit la religion catholique. Les corps jetés à la voirie, abandonnés le long des chemins, ou brûlés, n'étaient donc jamais enterrés en terre sainte. De plus, l'intégrité du cadavre n'étant pas respectée, la résurrection des corps devenait incertaine. L'exclusion était donc totale et ne portait pas seulement sur la société des hommes.

En dépit des protestations de juristes comme d'Aguesseau, la peine de mort comportait donc, à la fin de l'Ancien Régime, quatre formes d'exécution, déterminées non seulement en fonction du crime commis, mais parfois de la personne du criminel.

Il faut rendre au docteur Guillotin l'hommage qu'il mérite : il fut le premier à protester, devant l'Assemblée nationale, contre cet état de choses. Le 9 octobre 1789, il proposait six articles nouveaux au «décret sur la réformation provisoire de la procédure criminelle», dont le premier était ainsi conçu :

Les mêmes délits seront punis par le même genre de supplice, quels que soient le rang et l'état du coupable.

Les dispositions suivantes étaient également importantes :

Dans tous les cas où la loi prononcera la peine de mort contre un accusé, le supplice sera le même, quelle que soit la nature du délit dont il se sera rendu coupable. Le criminel aura la tête tranchée.

Le crime étant personnel, le supplice d'un coupable n'imprimera aucune flétrissure à sa famille. L'honneur de ceux qui lui appartiennent ne sera nullement entaché, et tous continueront d'être également admissibles à toutes sortes de professions, d'emplois et de dignités.

Quiconque osera reprocher à un citoyen le supplice d'un de ses proches sera puni de...

La confiscation des biens des condamnés ne pourra jamais avoir lieu, ni être prononcée en aucun cas.

Le corps d'un homme supplicié sera délivré à sa famille si elle le demande ; dans tous les cas, il sera admis à la sépulture ordinaire et il ne sera fait sur le registre aucune mention du genre de mort.

Ce jour-là, la proposition du docteur Guillotin fut ajournée.

Il la reprend le 1er décembre suivant. C'est au cours de cette intervention qu'il propose pour la première fois d'utiliser la machine à laquelle il devait laisser son nom. Son discours fut fréquemment applaudi. « Une partie de l'Assemblée, vivement émue, demande à délibérer sur-le-champ. Une autre partie semble vouloir s'y opposer » (*Archives parlementaires*, 1re série, t. X, p. 346). Sur l'intervention pressante du duc de Liancourt, l'article 1er, mis en délibération, est voté à l'unanimité, sous la forme que nous venons d'indiquer. Mais la phrase finale, « le criminel aura la tête tranchée », ne figure plus dans l'article.

Repris encore une fois le 21 janvier 1790, le projet est voté, en ce qui concerne les quatre premiers articles, avec quelques modifications de rédaction, mais sans qu'il soit encore fait mention du genre de supplice unique qui est adopté. L'article proposé par le docteur Guillotin, dont la disposition *in fine* était la suivante : « Le criminel sera décapité, il le sera par l'effet d'un simple mécanisme », est ajourné.

Le 30 mai 1791, Lepeletier de Saint-Fargeau, rapportant le projet de Code pénal, ouvre son exposé par la question : « La peine de mort sera-t-elle ou non conservée ? » Le comité chargé de la rédaction est d'avis de la maintenir. Un débat s'ouvre alors qui va durer trois jours. La plupart des interventions mériteraient d'être citées. Notamment celle de Duport, dès la première séance, qui nous apporte la confirmation que l'ordonnance criminelle de 1670 était encore appliquée dans toute sa rigueur, près de deux ans après la prise de la Bastille :

> Vous avez dernièrement eu les oreilles frappées par le bruit de ce supplice affreux dont la seule idée fait frémir ; pouvez-vous laisser subsister plus longtemps une pareille atrocité, la roue ? (*Arch. parl.*, 1re série, t. XXVI, p. 618).

À la même séance, Robespierre prend la parole et prononce un long discours, mélange d'arguments frappants et d'insupportable littérature « à l'antique ». Voici son exorde :

> La nouvelle ayant été portée à Athènes que des citoyens avaient été condamnés à mort dans la ville d'Argos, on courut dans les temples et on conjura les dieux de détourner les Athéniens de pensées si cruelles et si funestes. Je viens prier non les dieux, mais les législateurs qui doivent être les organes et les interprètes des lois éternelles que la divinité a dictées aux hommes, d'effacer du Code des Français les lois de sang qui commandent des meurtres juridiques et que repoussent leurs mœurs et leur constitution nouvelle. Je veux leur prouver : 1) que la peine de mort est essentiellement injuste ; 2) qu'elle n'est pas la plus réprimante des peines, et qu'elle multiplie les crimes beaucoup plus qu'elle ne les prévient.

Malgré l'abbé Maury qui l'interrompt en s'écriant (on reconnaîtra l'argument) qu'« il faut prier M. Robespierre d'aller débiter son opinion dans la forêt de Bondy », Robespierre continue :

... La peine de mort est nécessaire, disent les partisans de l'antique et barbare routine ; sans elle il n'est pas de frein assez puissant pour le crime. Qui vous l'a dit ? Avez-vous calculé tous les ressorts par lesquels les lois pénales peuvent agir sur la sensibilité humaine ?

... Le législateur qui préfère la mort et les peines atroces aux moyens plus doux qui sont en son pouvoir, outrage la délicatesse publique, émousse le sentiment moral chez le peuple qu'il gouverne, semblable à un précepteur malhabile qui, par le fréquent usage des châtiments cruels, abrutit et dégrade l'âme de son élève ; enfin, il use et affaiblit les ressorts du gouvernement, en voulant les tendre avec plus de force.

... Écoutez la voix de la justice et de la raison ; elle nous crie que les jugements humains ne sont jamais assez certains pour que la société puisse donner la mort à un homme condamné par d'autres hommes sujets à l'erreur. Eussiez-vous imaginé l'ordre judiciaire le plus parfait, eussiez-vous trouvé les juges les plus intègres et les plus éclairés, il restera toujours quelque place à l'erreur et à la prévention.

... Le premier devoir du législateur est de former et de conserver les mœurs publiques, source de toute liberté, source de tout bonheur social ; lorsque, pour courir à un but particulier, il s'écarte de ce but général et essentiel, il commet la plus grossière et la plus funeste des erreurs. Il faut donc que la loi présente toujours aux peuples le modèle le plus pur de la justice et de la raison. Si, à la place de cette sévérité puissante, calme, modérée qui doit les caractériser, elles mettent la colère et la vengeance ; si elles font couler le sang humain qu'elles peuvent épargner, et qu'elles n'ont pas le droit de répandre ; si elles étalent aux yeux du peuple des scènes cruelles et des cadavres meurtris par des tortures, alors elles altèrent dans le cœur des citoyens les idées du juste et de l'injuste ; elles font germer, au sein de la société, des préjugés féroces qui en produisent d'autres à leur tour. L'homme n'est plus pour l'homme un objet si sacré. On a une idée moins grande de sa dignité quand l'autorité publique joue de sa vie...

Et Robespierre conclut en demandant l'abrogation de la peine de mort.

À la séance du lendemain, Mougins de Roquefort et surtout Brillat-Savarin (le gourmet), parlent en faveur du maintien. Puis Duport, dans l'indifférence et au milieu des conversations, prononce un long discours que le bruit l'oblige à interrompre à deux reprises, en faveur de l'abrogation. Il finit cependant par obtenir si bien l'attention de l'Assemblée que celle-ci décide que son discours sera imprimé. Le même jour, M. Jallet, curé, député du Poitou, commence un discours contre la peine de mort par ces mots très simples et très frappants :

Je pense que la peine de mort est absurde et inutile. Je suis convaincu que les législateurs n'ont pas le droit de l'établir ; *si c'est une erreur, elle n'est pas dangereuse,* et il me sera permis de tenir encore à mon idée par le sentiment, qui est pour moi la meilleure des démonstrations.

La proposition de M. Jallet comportait, non seulement l'abolition de la peine de mort, mais celle aussi de toute peine perpétuelle.

Le 1er juin, l'Assemblée décide que la peine de mort sera maintenue. Lepeletier de Saint-Fargeau propose alors qu'elle soit réduite à la simple privation de la vie, mais Garat demande que le parricide ait le poing coupé. Tandis que Custine voudrait que, non seulement elle ne soit pas accompagnée de tortures, mais qu'elle ait lieu à huis clos. Une sorte de délire s'empare alors de l'Assemblée : Legrand demande que le parricide, l'infanticide et le régicide soient exposés pendant plusieurs jours sur le lieu de leur supplice ; Dufau déclare que, réduite à la simple privation de la vie, la peine de mort risque de «perdre de son efficacité pour l'exemple» et demande qu'elle s'accompagne d'un appareil «imposant». Finalement, l'Assemblée adopte le principe que «sans aggraver aucun des tourments, il y aura dans l'appareil du supplice des gradations».

Le 3 juin, Lepeletier de Saint-Fargeau fait adopter par l'Assemblée les deux premiers articles du Code pénal:

ART. 1. — Les peines qui seront prononcées contre les accusés trouvés coupables par le juré sont la peine de mort, la chaîne, la réclusion dans la maison de force, la gêne, la détention, la déportation, la dégradation civique, le carcan.

ART. 2. — La peine de mort consistera dans la simple privation de la vie, sans qu'il puisse jamais être exercé aucune torture envers les condamnés.

L'article 3 est ainsi conçu: «Tout condamné aura la tête tranchée.» Il donne lieu à un long débat. Certains, par humanité, proposent le maintien de la potence. Le rapporteur interrompt la discussion en cours pour dire qu'«un ami de l'humanité» vient de lui communiquer une idée «qui, peut-être, conciliera les opinions»: «ce serait de faire attacher le condamné à un poteau et de l'étrangler avec un tourniquet». De son côté, le duc de La Rochefoucauld-Liancourt se prononce en faveur de la décollation pour ne plus voir des hommes — il pense aux nobles — pendus sans jugement comme on en a vu dernièrement. Finalement, l'article est adopté ainsi que le suivant:

ART. 4. — L'exécution aura lieu sur la place publique de la ville où le juré aura été convoqué.

On peut se demander pourquoi, puisque le «mécanisme» proposé par le docteur Guillotin n'avait pas encore été admis et que le supplice de la décollation à l'épée était particulièrement cruel, l'Assemblée a si fermement tenu à l'établir. Il faut se souvenir que c'était là le supplice réservé aux criminels de naissance noble. Obscurément, la classe qui accédait au pouvoir réclamait, pour elle les privilèges qui lui avaient été jusqu'alors refusés : le fait d'avoir la tête tranchée plutôt que d'être pendu en était un.

Au début de 1792, Sanson, bourreau à Paris, remet à Duport, ministre de la Justice, un « Mémoire d'observations sur l'exécution de la peine de la tête tranchée, avec la nature des différents inconvénients qu'elle présente, et dont elle sera vraisemblablement susceptible. » Ce rapport insiste sur l'espèce de collaboration qu'un tel mode d'exécution exige de la part de celui qui la subit :

> Pour que l'exécution puisse se terminer suivant l'intention de la loi, il faut que, sans aucun obstacle de la part du condamné, l'exécuteur se trouve être encore très adroit, le condamné très ferme, sans quoi l'on ne parviendra jamais à terminer cette exécution avec l'épée, sans qu'il arrive des scènes dangereuses (cité par Ludovic Pichon, *Code de la guillotine*, p. 75).

À ce moment, la guillotine n'a pas encore été construite. C'est pourquoi, le 3 mars 1792, Duport adresse une lettre à l'Assemblée nationale dans laquelle il écrit :

> Dans la condamnation à mort, nos nouvelles lois ne voient que la simple privation de vie. Elles ont adopté la décollation comme peine la plus conforme à ces principes. À cet égard, elles se sont trompées, ou du moins, pour atteindre ce but, il faut chercher et généraliser une forme qui y réponde et que l'humanité éclairée perfectionne l'art de donner ainsi la mort.

Le même jour, le Directoire du département de Paris écrivait également à l'Assemblée nationale qu'un jugement de condamnation à mort devant être exécuté, et l'exécuteur, «faute d'expérience», pouvant «faire de la décollation un supplice affreux», il était urgent qu'un décret fût pris sur le mode d'exécution de l'article 3 du Code pénal.

Le 13 mars 1792, l'Assemblée juge «trop affligeants» pour être discutés publiquement le rapport présenté par le docteur Louis, secrétaire perpétuel de l'Académie de chirurgie, et les lettres de Duport. Elle en ordonne l'impression. Voici la conclusion du rapport du docteur Louis :

En considérant la structure du cou, dont la colonne vertébrale est le centre, composée de plusieurs os dont la connexion forme des enchevauchures, de manière qu'il n'y a pas de joint à chercher, il n'est pas possible d'être assuré d'une prompte et parfaite séparation en la confiant à un agent susceptible de varier en adresse par des causes morales et physiques ; il faut nécessairement, pour la certitude du procédé, qu'il dépende de moyens mécaniques invariables, dont on puisse également déterminer la force et l'effet. C'est le parti qu'on a pris en Angleterre ; le corps du criminel est couché sur le ventre entre deux poteaux barrés par le haut par une traverse, d'où l'on fait tomber sur le cou la hache convexe au moyen d'un déclic. Le dos de l'instrument doit être assez fort et assez lourd pour agir efficacement comme le mouton qui sert à enfoncer des pilotis : on sait que sa force augmente en raison de la hauteur d'où il tombe.

Il est aisé de faire construire une pareille machine, dont l'effet est immanquable ; la décapitation sera faite en un instant, suivant l'esprit et le vœu de la nouvelle loi ; il sera facile d'en faire l'épreuve sur des cadavres, et même sur un mouton vivant. On verra s'il ne serait pas nécessaire de fixer la tête du patient par un croissant qui embrasserait le cou au niveau de la base du crâne, les cornes ou prolongements de ce croissant pourraient être arrêtées par des clavettes sous l'échafaud : cet appareil, s'il paraît nécessaire, ne ferait aucune sensation et serait à peine aperçu.

Par décret du 20 mars 1792, l'Assemblée précise le mode d'exécution :

> ... Décrète que l'article 3 du titre Ier du Code pénal sera exécuté suivant la manière indiquée et le mode adopté par la consultation signée du secrétaire perpétuel de l'Académie de Chirurgie, laquelle demeure annexée au présent décret ; en conséquence, autorise le pouvoir exécutif à faire les dépenses nécessaires pour parvenir à ce mode d'exécution, de manière qu'il soit uniforme dans tout le royaume.

Une fois cette décision arrêtée, Rœderer prit les dispositions nécessaires pour que la machine fût construite. Un premier marché fut passé avec un charpentier, Guidon, qui avait la fourniture des bois de justice. Il demandait 5 600 livres. Ce prix ayant été trouvé excessif, ce fut à un mécanicien facteur de pianos, Tobbias Schmidt, de Strasbourg, que fut confié le soin de fabriquer la première guillotine. Il en demandait d'abord 960 livres, puis il fixa son prix à 812 livres.

Le premier essai fut effectué à Bicêtre, sur trois cadavres, le 17 avril 1792, « en présence d'une commission dont faisaient partie le docteur Louis, le docteur Cabanis, l'exécuteur Charles-Henri Sanson, accompagné de ses deux frères et de son fils. Quelques modifications furent apportées : le docteur Louis préconisa, pour le couperet, une disposition oblique au lieu d'horizontale ; l'architecte Giraud, en compagnie du sieur Fouquet, après avoir examiné la machine, indiquait quelques défectuosités à corriger » (Ludovic Pichon, *op. cit.*, p. 21).

Le 25 avril 1792, un nommé Jacques Pelletier, condamné à mort pour vol avec violences sur la voie publique, fut exécuté, pour la première fois, à la guillotine. Depuis lors, elle n'a cessé d'être utilisée.

Il nous a paru nécessaire de donner ces détails concernant les origines du procédé d'exécution actuellement employé. En effet, nous vivons encore, en ce domaine, sur les décisions des juristes et administrateurs de la Révolution, dans la mesure où elles ont été confirmées sous le Premier Empire. Les modifications qui depuis lors ont été apportées à l'exécution des condamnés à mort ne concernent que des détails, à une exception près : depuis 1939, la guillotine ne fonctionne plus en public.

Cependant, il faut noter que le Code pénal napoléonien de 1810 effectua un retour en arrière et admit qu'en certains cas la privation de vie pouvait être accompagnée de tortures. L'article 13 du Code pénal, dans sa rédaction originelle, stipulait en effet :

Le coupable condamné à mort pour parricide sera conduit sur le lieu de l'exécution en chemise, nu-pieds et la tête couverte d'un voile noir. Il sera exposé sur l'échafaud pendant qu'un huissier fera au peuple lecture de l'arrêt de condamnation ; il aura ensuite le poing droit coupé et sera immédiatement exécuté à mort.

Cet article fut modifié par la loi du 28 avril 1832 qui supprima l'amputation du poing, en même temps qu'elle abolissait les peines de la flétrissure et du carcan.

Une fois condamné à mort, le prisonnier est l'objet d'une surveillance particulière de la part des autorités pénitentiaires : il convient en effet qu'il ne puisse se soustraire à l'exécution et que « la privation de vie » dont il doit être frappé ne vienne pas de sa libre décision.

Une instruction, adressée aux préfets par le ministre de l'Intérieur (Ludovic Pichon, *op. cit.*, p. 61), précise le 12 avril 1866 les mesures qui doivent être prises, et le fait dans un style qui mérite d'être remarqué :

Pour les condamnés à la peine capitale, on prendra les précautions les plus généralement adoptées, c'est-à-dire :
— les revêtir aussitôt après leur condamnation d'une camisole de force ;
— les faire surveiller constamment, de jour et de nuit, soit par des gardiens se relevant à tour de rôle, soit par des fonctionnaires ou agents de police requis par qui de droit, sur la demande du directeur ou du gardien-chef.

Après avoir appelé votre attention sur les instructions qui précèdent, je n'ai pas besoin d'ajouter, Monsieur le Préfet, que votre mission ne se borne pas à en assurer la stricte observation. Ce n'est pas seulement par des précautions matérielles, c'est aussi par une action morale sur les détenus que vous parviendrez à empêcher le retour des faits douloureux dont l'administration s'est émue. Il convient, sans doute, d'examiner la cellule et d'en écarter les objets qui peuvent faciliter le suicide ; mais c'est surtout l'homme qu'il faut étudier et ne jamais perdre de vue. Quand le dégoût de l'existence, la crainte du châtiment ou quelque crise morale viennent altérer ou dominer en lui les instincts conservateurs de la vie, il est bon qu'il trouve, dans de fréquents entretiens avec les personnes placées près de lui par la vigilance de la loi, la force de se soustraire à de coupables tentations. L'intervention du gardien-chef, du directeur, du médecin, de l'aumônier doit être régulière et constante. Rien ne saurait mieux que leur influence et leurs exhortations combattre les inspirations de la solitude et du désespoir. Demandez le concours, sti-

mulez le zèle de tous, pour obtenir ce résultat auquel tous
doivent avoir à cœur de contribuer.

Recevez, etc.

Le ministre de l'Intérieur,
LA VALETTE.

On imagine mal quel supplice pouvait représenter, pour le prisonnier, le port constant de la camisole de force. Voici ce qu'en dit un homme qui en fit
l'expérience, Armand Barbès :

Le vêtement en question est, comme on sait, une grosse
veste de forte toile, s'ouvrant au rebours des autres habits,
c'est-à-dire ayant sa fente à l'endroit du dos, et pourvue de
longues manches étroites qui dépassent un peu le bout des
mains. L'ouverture de derrière se ferme avec des courroies
à boucles et les manches ont, à leur extrémité, quelques-
uns de ces trous dits, en termes de couture, des œillets
dans lesquels joue une corde qu'il suffit de tirer pour clore
le bout de la manche comme un sac. Ceci fait, on vous lie
les deux bras l'un sur l'autre, et on vous tourne et retourne
les cordes autour du corps, jusqu'à ce qu'on vienne, après
les avoir fait passer sous les épaules, les nouer définitivement entre les omoplates. Ainsi accommodé, un homme
peut tout juste mouvoir ses jambes. Mais ce qui est surtout
désagréable, c'est qu'on ne peut pas trouver une position
tolérable pour dormir. Si vous vous couchez sur le côté, le
poids du corps sur les bras vous donne bientôt des crampes ;
et, si c'est sur le dos, le nœud de la corde au milieu des
épaules et les boucles des courroies vous entrent dans la
chair. Faute de mieux, je m'établis dans cette dernière
position ; mais la douleur était trop forte, je ne pus pas
m'assoupir ; et, après un ou deux essais infructueux, je
me dis qu'au fait le sommeil avait toujours passé pour une
sorte de mort anticipée, et que, puisque je n'avais que
quelques heures à vivre, il valait autant les employer à
mettre mes idées en ordre (*Deux jours de condamnation
à mort*, par le citoyen Armand Barbès, représentant du
peuple, Paris, sans date).

Depuis lors, l'usage de la camisole de force a été supprimé. Les condamnés à mort, dès leur retour à la prison, après le prononcé du jugement, sont entravés par des fers aux pieds, revêtus d'un uniforme de droguet et surveillés, de jour et de nuit, par des gardiens installés à l'extérieur de leur cellule. Dans celle-ci, la lumière reste constamment allumée. Cependant, il y a quelques mois, une première exception à ces règles vient d'être faite : Gaston Dominici, en dépit de sa condamnation à mort, a été, en raison de son âge, dispensé des fers.

Les apprêts précédant immédiatement l'exécution ont été portés avec précision à la connaissance du public, en 1952, par le film d'André Cayatte, *Nous sommes tous des assassins*. Rappelons rapidement comment ils se déroulent.

Au petit matin, le procureur de la République, le greffier, l'avocat du condamné, ainsi qu'un certain nombre de fonctionnaires de l'administration pénitentiaire, se réunissent dans la prison. Ils vont vers le quartier des condamnés à mort et s'arrêtent à l'entrée, afin de ne réveiller personne par le bruit de leurs pas. Deux gardiens enlèvent leurs chaussures et vont jusqu'à la porte de la cellule. Ils vérifient par le judas que le condamné dort. Ils ouvrent la porte et se précipitent sur le condamné, le saisissent, lui ligotent les mains derrière le dos et lui entravent les pieds avant de savoir s'il s'insurgera ou se laissera faire. Les magistrats et les fonctionnaires, ainsi que l'avocat du condamné, pénètrent alors dans la cellule et il est porté à la connaissance du condamné que son recours en grâce a été rejeté. Suit l'épisode de la cigarette et du verre de rhum. On découpe le col de la chemise, puis le condamné, pieds entravés, est porté alors à travers le quartier des condamnés à mort et la plupart du temps ceux-ci manifestent contre l'exécution. Il est amené dans la chapelle où il peut entendre la messe et communier. Puis, toujours pieds entravés, c'est-à-dire porté par l'exécuteur et ses aides, il est conduit jusqu'à la cour de la prison où, désormais, est installée la guillotine. Roger Grenier, dans son roman *Les Monstres* (Gallimard), dicte le journal d'un des exécuteurs de Paris qui donne des derniers instants de l'exécution une idée certainement précise :

Pour projeter contre la planche un récalcitrant, nous le portions à bout de bras. À la Santé, il y avait lieu d'utiliser l'élan acquis par la descente de l'escalier. De plus, cette descente avait l'avantage de bien synchroniser la marche des deux aides portant le récalcitrant. Arrivés en bas des marches, il nous restait à faire deux pas en cadence. L'élan étant ainsi donné, bien en face de la lunette, le condamné se trouvait projeté violemment et allait rouler avec la planche jusqu'au bout du coulisseau. Il était très rare qu'on eût ensuite à faire une retouche à la position du cou. C'est l'ensemble de ces petits détails qui fait la rapidité et la sûreté d'une exécution. Entravé, le condamné ne peut marcher qu'à petits pas. D'habitude, nous le pressons un peu. La corde le gêne pour avancer. Il se met à trottiner, faisant attention, dans un dernier réflexe, à ne pas tomber. Cette dernière attention lui évite souvent de voir la machine et il se trouve brusquement devant la planche avant de s'être bien rendu compte de ce qui lui arrive. Un élan, et il culbute, s'engage dans la lunette presque toujours de lui-même. Le chef déclenche cette lunette qui s'abat, et aussitôt, il libère le couperet. Un choc et tout est fini.

Quelques mots sur le bourreau. La loi du 13 juin 1793 stipulait qu'il en serait nommé un dans chacun des départements de la République, près les tribunaux criminels. Il fixait leur traitement à 2 400 livres,

4 000 et 6 000 livres selon le nombre d'habitants des villes où ils exerçaient leurs fonctions. Divers avantages supplémentaires leur furent consentis par le décret du 3 frimaire an II.

Un message du Directoire, du 21 septembre 1796 (Ludovic Pichon, *op. cit.*, p. 43), s'inquiète de la pénurie d'exécuteurs, dans certains départements, et donne des instructions pour y parer. Le Directoire se préoccupe également d'autres problèmes :

> ... on se plaint quelquefois de la manière atrocement insolente que ces officiers de justice mettent dans leurs exécutions qu'ils font. Ne pourrait-on pas, dans ce cas, ou lorsqu'ils se présenteraient pris de boisson, autoriser le commissaire du Pouvoir exécutif à les dénoncer au tribunal correctionnel qui vérifierait le fait et les condamnerait à un emprisonnement qui ne pourrait être moindre de trois jours, ni excéder trois mois, pendant lequel temps ils seraient tenus de faire les exécutions nécessaires, à l'effet de quoi ils seraient extraits de la maison d'arrêt et, de suite, reconduits jusqu'à l'expiration du temps déterminé par le jugement rendu contre eux.

Une ordonnance du roi, du 7 octobre 1832, faisant état de la suppression d'un certain nombre de supplices (carcan, flétrissure), mais ne parlant pas de la cause principale de la mesure qu'elle décidait (diminution constante du nombre des exécutions), diminuait de moitié le nombre des exécuteurs.

Un arrêté du 9 mars 1849 décidait qu'il n'y aurait plus qu'un exécuteur en chef dans le ressort de chaque Cour d'appel, et un exécuteur adjoint dans les départements du ressort où la Cour est établie. Les aides sont supprimés, sauf pour les deux départements de la Seine et pour le département de la Corse. Il semble bien que ce ne fût pas le nombre de crimes commis dans cette île qui rendait la présence des aides nécessaire, mais le fait que l'exécuteur pouvait, moins facilement que dans les autres ressorts de Cour d'appel, recourir aux exécuteurs adjoints des départements environnants.

Le décret du 26 juin 1850 décide qu'il n'y aura plus qu'un exécuteur par ressort de Cour d'appel, et un exécuteur et un aide pour la Corse. Enfin, le décret du 25 novembre 1870 décide qu'il n'y aura en France (exception faite pour la Corse et l'Algérie) qu'un exécuteur et cinq exécuteurs adjoints. Des dispositions complémentaires devaient être prises par la suite en ce qui concerne les exécuteurs dans les colonies et notamment à Cayenne, colonie pénitentiaire, où la guillotine, pendant le temps que les bagnards furent déportés dans ce pays, eut de nombreuses occasions de fonctionner.

L'ordonnance de 1670 prévoyait la peine capitale pour 115 crimes. Nous avons vu que le Code pénal de 1791 avait ramené à 32 le nombre de cas où la peine capitale pouvait être appliquée. Ce mouvement de décadence de la peine de mort devait se poursuivre pendant tout le XIXe siècle, diverses mesures en limitant peu à peu le champ d'application, tandis que celles qui en prévoyaient l'extension n'avaient qu'un effet réduit (notamment la loi du 15 juillet 1845 prévoyant la peine de mort pour ceux qui ont volontairement provoqué un accident de chemin de fer ayant causé mort d'homme). En fait, de 1791 à 1939, la décadence de la peine capitale ne s'est pas interrompue. Depuis 1939, les signes d'un mouvement inverse se sont fait jour de manière parfaitement claire.

Si le Code de 1791 prévoyait encore 32 crimes passibles de mort, celui de brumaire an IV réduisit le nombre à 30 et le Code napoléonien à 27. En 1832, sous l'influence de Guizot, la révision du Code aboutit à la suppression de 16 nouveaux cas de peine de mort. Il en restait donc 16 en 1848 quand un décret du gouvernement provisoire, puis la Constitution elle-même dans son article 5 abolirent la peine de mort en matière politique.

De plus, la révision du Code pénal avait permis, en 1832, d'introduire dans la loi la notion de circonstance atténuante. C'est-à-dire que le jury, quel que soit le crime qu'il ait à juger, pouvait désormais éviter la condamnation capitale. Cette disposition, en enlevant à la sentence de mort son automatisme, devait être à l'origine de la diminution progressive des condamnations à mort, c'est-à-dire que la décadence de la peine capitale ne se manifestait plus seulement dans le système légal, mais dans la jurisprudence et par conséquent dans les mœurs.

Si l'on ne tient pas compte des peines pouvant être prononcées en temps de guerre, étaient punis de mort, à la veille de 1914, les crimes suivants : parricide (art. 299 du Code pénal), assassinat (art. 302), empoisonnement (art. 301), sévices habituels pratiqués contre des enfants dans l'intention de donner la mort (312), séquestration avec tortures corporelles (art. 434), faux témoignage quand il a conduit à une condamnation à mort (art. 361). À cela, il faut ajouter la loi de 1845 sur les chemins de fer.

Alors que la peine de mort avait été supprimée, en matière politique, depuis 1848, et qu'elle n'était plus applicable, selon le Code de justice militaire, que pour la désertion à l'ennemi, un décret du 29 juillet 1939 — donc promulgué à la veille de la guerre — la rétablissait pour les attentats à la sûreté extérieure de l'État, même en temps de paix, et même commis par des civils. Ce décret, qui est toujours en application, a marqué le début de la restauration de la peine de mort, à laquelle nous assistons[1].

À la suite de ce décret, d'autres mesures ont été prises : loi prévoyant la peine de mort pour le pillage et les vols commis dans les habitations et édifices abandonnés pendant la guerre (1er septembre 1939), peine de mort pour les infractions économiques graves (loi du 4 octobre 1946). En 1950, Mme Germaine Degrond (socialiste) et M. Hamon (MRP) déposaient une proposition tendant à appliquer la peine de mort aux bourreaux d'enfants, bien que les articles 312 et 434 paraissent s'appliquer à ce crime. Mais le plus inquiétant fut certainement le vote de la loi du 23 octobre 1950, modifiant l'article 381 du Code pénal et prévoyant la peine de mort pour le vol à main armée : pour la première fois depuis près d'un siècle, les atteintes à la propriété, et non plus seulement les atteintes à la vie humaine, recommençaient d'être considérées comme assez graves pour être punies de mort.

Le nombre et la violence des attaques à main armée qui ont suivi les années de guerre expliquent peut-être cette décision, mais ils ne peuvent la justifier. Admettre que le vol, sous quelque forme que ce soit, puisse être puni de mort, c'est rendre à la propriété un caractère sacré que l'évolution de nos mœurs et de nos idées, au cours des deux derniers siècles, lui a définitivement contesté.

Tandis que le champ d'application de la peine de mort se rétrécissait d'abord, pour de nouveau s'élargir, le nombre des condamnations, et surtout des exécutions, n'a cessé de diminuer depuis plus de cent ans. Les statistiques suivantes le démontrent.

---

1. On ne peut faire partir ce mouvement de la loi du 10 avril 1925 prévoyant la peine capitale pour les crimes de piraterie et baraterie, cette loi n'ayant, semble-t-il, jamais été appliquée.

De 1826 à 1830, on prononce, en France une moyenne de 111 condamnations à mort par an ; une moyenne de 66, de 1831 à 1835 ; de 48, de 1841 à 1845 ; de 49, de 1846 à 1850 ; de 53, de 1851 à 1856.

Année	Condamnations prononcées	Condamnations exécutées
1856	53	28
1857	58	32
1858	38	28
1859	36	21
1860	36	16
1861	26	14
1862	39	25
1877	31	12
1878	28	7
1899	20	6
1900	11	1
1902	9	1
1929	22	8
1930	25	12
1931	18	4
1932	27	8
1933	25	14
1934	14	5
1935	12	6
1936	25	8
1937	17	6
1938	16	7
1939	9	3
1941	9	7
1942	18	9

En ce qui concerne les années d'occupation, et si l'on ne tient compte que des condamnations à mort

prononcées et exécutées par les autorités de Vichy,
le fait principal à retenir est, plus que la création de
tribunaux spéciaux pour juger certains crimes politiques, l'attitude du chef de l'État devant la peine de
mort. En effet, Pétain fut le premier, depuis Grévy,
qui consentît à l'exécution des condamnés à mort
du sexe féminin. «Pourquoi pas les femmes?»
aurait-il répondu aux avocats qui sollicitaient la
grâce de leur cliente en faisant valoir que cette
grâce paraissait être due en vertu d'une tradition
bien établie.

La période qui précéda la Libération et celle qui
la suivit furent marquées par un accroissement
subit et considérable de l'application de la peine de
mort. Certaines furent prononcées par des tribunaux de fait, ou sommairement exécutées dans les
maquis.

Selon les statistiques officielles, ces condamnations se sont réparties de la façon suivante:

a) Exécutions, avec ou sans jugement par
des tribunaux de fait, avant la Libération 5 143
b) Exécutions, avec ou sans jugement par
des tribunaux de fait, après la Libération 3 724

Meurtres et exécutions dont il n'a pas été possible
de déterminer les mobiles:

a) Avant la Libération 1 532
b) Après la Libération 423

Immédiatement après la Libération, les tribunaux
d'exception, cours de justice et Haute Cour, destinés à juger des procès de collaboration, entrèrent en
fonctions et prononcèrent de nombreuses condam-

nations. Comme on le verra, les exécutions, quoique atteignant des chiffres importants, marquent un écart considérable avec le nombre des condamnations.

Les cours de justice, au moment de leur disparition, comptaient 45 017 affaires classées, 50 095 affaires jugées. Parmi celles-ci, 8 603 s'étaient terminées par des acquittements et 4 397 condamnations à mort par contumace. 2 640 condamnations à mort avaient été prononcées contradictoirement — c'est-à-dire en présence de l'accusé — et de façon définitive, dont 768 aboutirent à des exécutions.

De son côté, la Haute Cour avait prononcé 8 condamnations, dont 3 furent exécutées.

De 1944 à 1953 se déroulèrent également en France, devant des tribunaux militaires, des procès de criminels de guerre. 18 755 personnes furent appelées à répondre de ces crimes devant les tribunaux, dont 15 639 en fuite. Le nombre de non-lieux prononcés se monte à 12 539, soit plus des deux tiers. Des affaires instruites, 493 se terminèrent par des condamnations à mort, dont 400 par contumace et 93 de façon contradictoire et définitive. Sur ces 93 condamnations, 55 ont été exécutées.

Un si grand nombre de condamnations à mort et d'exécutions eurent pour effet que l'application de la peine de mort, pour crimes de droit commun, fut pendant la même période, beaucoup plus stricte. La courbe des exécutions devait reprendre par la suite son allure normale, c'est-à-dire descendante :

Année	Condamnations prononcées	Condamnations exécutées
1946	78	33
1947	69	31
1948	59	21
1949	64	24
1950	50	12
1951	26	16
1952	17	7
1953	8	2
1954	8	0
1955	5	1

Il serait évidemment utile de comparer ces chiffres, non seulement à ceux correspondant au nombre de crimes commis (en constante augmentation, ce qui correspond, semble-t-il, à la fois à l'augmentation globale de la population et à l'augmentation de l'alcoolisme), et au nombre des suicides. Ceux-ci, qui étaient de 2 084 en 1830 sont passés à 3 596 en 1850, à 4 157 en 1870, à 6 638 en 1880 et 8 410 en 1890, pour se stabiliser pendant les premières années du siècle aux alentours de 10 000. Ils sont en hausse, aujourd'hui, par rapport à ces chiffres, comme aussi le nombre de personnes internées dans les asiles psychiatriques.

On peut donc induire de ces chiffres que la peine de mort est pratiquement tombée aujourd'hui en désuétude.

Avant d'examiner les efforts accomplis en France pour en obtenir l'abolition, il nous a paru utile de citer les arguments exposés dans un traité usuel de droit pénal, en faveur de sa conservation. Il s'agit du *Traité théorique et pratique de droit pénal*, par Pierre Bouzat (p. 262 et *sq.*) :

Certes, la peine de mort est irréparable, mais cette objection pourrait être faite à toutes les graves peines privatives de liberté ; le séjour dans un établissement pénitentiaire peut compromettre définitivement la santé du détenu ; et, en tout cas, aucune indemnité, si élevée soit-elle, ne peut constituer un équivalent pour les années de liberté dont un homme a été indûment privé. La vérité, c'est que la peine de mort ne doit être appliquée qu'à bon escient et qu'elle doit être écartée au moindre doute.

Il paraît faux qu'elle soit injuste. L'objection repose sur l'idée qu'il serait possible et nécessaire d'établir une proposition exacte entre le mal causé par l'infraction et la souffrance résultant de la peine. La justice n'a nullement l'ambition d'assurer cette proposition. S'il en était autrement, il faudrait établir, comme sous l'Ancien Régime, des degrés dans la peine de mort, c'est-à-dire adjoindre à la privation de vie certaines tortures préalables. Ce serait inadmissible. La peine de mort, dans sa forme actuelle, constitue dans notre législation, un plafond qui ne peut être dépassé. Tout ce qui peut être raisonnablement demandé, c'est qu'elle ne soit appliquée qu'à ceux qui ont commis un crime suffisamment grave pour la mériter.

Il ne nous paraît nullement démontré qu'elle soit inutile ou même nuisible. On signale un nombre élevé de grands criminels qui auraient assisté, avant de commettre leur crime, à des exécutions capitales. On y voit une preuve que la peine de mort ne les a pas effrayés. C'est sans doute exact. Mais le nombre de ceux qu'une exécution capitale a intimidés est vraisemblablement plus grand. On ajoute, et cet argument a plus de portée, que dans les pays où la peine capitale a été supprimée, sa suppression n'a pas entraîné, d'après les statistiques, une augmentation de la grande criminalité. Mais les indications fournies par les statistiques doivent être convenablement interprétées. Dans les pays où la peine de mort a été abolie en droit, son abrogation avait été précédée d'une suppression de fait, qui avait souvent été longue, en sorte que la suppression légale du châtiment suprême est passée presque inaperçue, et n'a pas eu d'influence notable sur la grande criminalité. De plus, la suppression de la peine de mort est

généralement réalisée à une époque où la criminalité est
en baisse et le plus souvent sous l'influence heureuse
d'améliorations de conditions politiques, économiques et
sociales d'un pays. La baisse, après la réforme, se poursuit
sous l'influence des mêmes facteurs qui l'avaient provoquée auparavant. Il n'est donc nullement établi qu'au
point de vue de l'intimidation, la peine de mort soit sans
valeur, tandis qu'il est certain que du point de vue de l'élimination, elle est un moyen plus sûr que les autres.

Cette dernière affirmation est évidemment sans
réplique. Mais tout ce qui la précède est étrangement
illogique. Les arguments utilisés sont les suivants : *la
peine de mort est irréparable, mais les autres peines
peuvent l'être aussi.* C'est précisément dans cette
marge que réside toute la différence.

*La peine de mort doit donc être écartée au moindre
doute.* Oui, mais on a vu des innocents condamnés
par des juges qui n'avaient pas le moindre doute sur
leur culpabilité.

*La torture est inadmissible. La peine de mort est
admissible.* Pourquoi ?

*Il ne peut rien être changé à la peine de mort, parce
que c'est le plafond dans l'échelle des peines et qu'on
ne peut élever ce plafond sans rétablir la torture.* Il fut
un temps où l'on ne pouvait supprimer la torture,
parce qu'elle était le plafond de l'échelle des peines.
On a choisi, comme plafond, la peine de mort, c'est-
à-dire qu'on a abaissé le plafond. Rien n'empêche
de l'abaisser encore et de considérer que les travaux
forcés à perpétuité seront désormais le plafond. Ceux
qui le proposent savent que, dans quelques années,
on protestera contre la notion de peine perpétuelle
avec autant de vigueur qu'ils protestent aujourd'hui
contre la peine capitale et qu'on demandera d'abaisser encore une fois le plafond.

L'exemple des pays qui ont aboli la peine de mort n'est pas convaincant, parce qu'ils l'avaient supprimée en fait, avant de la supprimer en droit. Cela est incompréhensible : si ces pays l'ont supprimée en fait, avant de la supprimer en droit, c'est ce que nous devons faire, et d'ailleurs, comme le montrent les chiffres, c'est ce que nous faisons. Mais que ce soit de fait ou de droit, il est donc prouvé que la suppression de la peine de mort n'agit pas sur les courbes de criminalité.

Ce n'est pas la suppression de la peine de mort qui contribue le plus à diminuer la criminalité, ce sont les heureuses conditions politiques, économiques et sociales. Ce qui prouve que l'application ou la non-application de la peine de mort est sans effet sur la criminalité, celle-ci dépendant des conditions politiques, économiques et sociales. À cet argument en faveur de l'abolition, involontairement évoqué ici, ajoutons seulement que l'abolition de la peine de mort nous paraît contribuer à établir ces conditions heureuses.

Nous passerons, sans commentaires, sur les dernières affirmations de M. Bouzat :

... il n'est pas certain que le cachot à perpétuité soit une peine moins barbare que la peine de mort et qu'il vaille mieux faire souffrir sans faire mourir que faire mourir sans faire souffrir (?). La vérité, c'est que la répugnance que soulève toujours la peine de mort tient, pour une large part, à la façon dont elle s'exécute. D'où le grand intérêt à trouver un mode d'exécution aussi humain que possible.

Cette argumentation juridique et quasiment officielle est, comme on le voit, peu convaincante. Nous aurons par la suite l'occasion de citer, en faveur du maintien de la peine capitale, d'autres opinions émises parfois avec moins de mesure.

Retracer l'histoire, depuis la Révolution française, des efforts accomplis par les partisans de l'abolition demanderait, pour être complet, un plus long ouvrage que celui-ci. Car, en vérité, ces efforts n'ont pas eu de cesse. Selon les événements politiques, la forme que prenait le régime, ils ont eu ou non la possibilité de s'exprimer ou de se faire entendre, ce qui n'a pas toujours été de pair.

C'est ainsi qu'il ne nous serait pas possible de citer les pétitions dont les assemblées révolutionnaires ont été constamment saisies, même après que la Constituante eut voté le Code pénal de 1791, c'est-à-dire après qu'elle eut formellement admis et de nouveau institué la peine capitale. Cependant ces pétitions eurent pour effet d'amener Lepeletier de Saint-Fargeau, rapporteur du Code, à déposer un rapport tendant à l'abolition de la peine de mort qu'il avait lui-même précédemment prônée. La Constituante adopta le principe de la mesure qui lui était proposée, mais décida, par un décret du 14 brumaire an IV, que la suppression ne serait effective qu'après que la paix serait rétablie. Le vœu de la Constituante ne devait pas être réalisé : à la veille de la paix d'Amiens mettant fin à la guerre entre la France, l'Angleterre, l'Espagne et la Hollande, une loi de nivôse an X déclarait maintenue l'application de la peine capitale.

Par la suite, chaque période révolutionnaire s'accompagna d'une tentative d'abolition de la peine capitale. C'est ainsi que le 17 août 1830, M. de Tracy déposait une proposition d'abolition, appuyée par une pétition populaire. Cette pétition avait pris naissance au cours des manifestations de septembre 1830, en l'honneur des quatre sergents de La Rochelle. La proposition de Tracy fut rejetée, après avoir été vivement combattue par les représentants de l'armée.

La même situation devait se reproduire au cours de la révolution de 1848. Si le gouvernement provisoire avait, par décret, supprimé la peine de mort en matière politique — sous l'influence notamment de l'ouvrage de Guizot — des manifestations en faveur d'une abolition totale se déroulèrent au cours des journées de Février. De nouveau, M. de Tracy proposa l'abolition au cours de la discussion de la Constitution en demandant que l'article 5, qui reprenait le décret abolissant la peine de mort en matière politique, fût amendé. M. de Tracy proposait la suppression des mots «en matière politique», ce qui équivalait à l'abolition pure et simple. Soutenu par Victor Hugo («Il y a trois choses qui sont à Dieu et qui n'appartiennent pas à l'homme: l'irrévocable, l'irréparable, l'indissoluble»), l'amendement fut pourtant repoussé.

En 1849, trois propositions d'abolition furent soumises au Parlement. La première, par Savatier-Laroche, fut discutée lors de la séance du 8 décembre 1849. M. Casabianca, rapporteur, s'exprima en ces termes:

Avons-nous donc, messieurs, moins horreur du sang humain que l'honorable préopinant? Non. Voici où est entre nous la divergence: il ne se préoccupe que du sort du condamné... (*Réclamations à gauche.*)

À DROITE. — C'est cela, pas autre chose!

LE RAPPORTEUR. — Oui, messieurs, c'est la conséquence des doctrines qui ont été professées à cette tribune. L'honorable préopinant se préoccupe, avant tout, du sort du condamné; et alors, on le conçoit, en présence d'une tête qui va tomber, à la vue de cet être sans défense dont le cœur va cesser de battre, on oublie le crime et on se révolte contre la cruauté de l'expiation; mais les magistrats, mais les législateurs ne sacrifient point à une dangereuse pitié les grands intérêts dont ils sont dépositaires. Leur pensée se reporte sur tous ces citoyens inoffensifs que l'on égorge même dans l'asile inviolable du foyer domestique, et le nombre de ces infortunés serait bien autrement considérable, si la perspective de l'échafaud n'arrêtait souvent le bras prêt à frapper. Non, messieurs, ce n'est pas au moment où des doctrines funestes... (*De vives exclamations s'élèvent à gauche.*)

QUELQUES MEMBRES DE L'EXTRÊME GAUCHE. — À l'ordre! À l'ordre l'orateur!

À DROITE. — Très bien! Très bien!

LE RAPPORTEUR. — Ce n'est pas au moment où des doctrines funestes surexcitent toutes les passions, où tous les liens moraux se brisent ou se relâchent, ce n'est pas dans un pareil moment qu'on peut enlever à la société le frein le plus puissant qui soit en son pouvoir.

La proposition était ensuite rejetée par 400 voix contre 183. Une proposition Schœlcher, présentée le 21 février 1851, dans le même sens, ne fut pas prise en considération. Une proposition de Raspail, du 15 mai 1851, eut le même sort.

Le silence se fit ensuite pendant la plus grande partie du Second Empire, comme il s'était fait pendant tout le Premier : le bonapartisme ne va pas sans une application rigoureuse des plus fortes pénalités. Cependant, un groupe de républicains, lors de la rédaction, en 1865, de l'Adresse à l'Empereur, demanda par voie d'amendement qu'y soit réclamée l'abolition de la peine de mort. Cette proposition, avancée notamment par Jules Favre, Carnot et Garnier-Pagès fut, évidemment, repoussée. Résumant les arguments traditionnels des partisans de la peine capitale, le marquis d'Havrincourt répondit à Jules Favre :

Ils connaissent le code, ces habitués du crime; ils savent parfaitement jusqu'à quel point ils peuvent aller pour s'ar-

rêter au pied de l'échafaud et pour ne risquer que le bagne
où ils conservent toujours l'espoir de l'évasion. La peur de
la mort l'arrête seule. La peine de mort est nécessaire.

Et Prévost-Paradol :

L'assassin puni de mort ressemble à un ennemi frappé
dans un combat livré par lui à la société tout entière ; cette
peine ainsi appliquée n'est pas hors de proportion avec le
crime, elle lui est analogue et elle est conforme à ce sentiment intérieur de justice qui nous porte à souhaiter que le
méchant soit pris dans son propre piège et meurtri de ses
propres armes. Renfermée dans ces limites, l'application
de la peine de mort est légitime. Elle n'a rien de contraire
à la justice ni de blessant pour la conscience humaine.

La fin du Second Empire devait tout de même
voir se dérouler un grand débat sur la peine de
mort. C'est qu'en effet deux projets, l'un sur l'abolition, l'autre sur la suppression de la publicité des
exécutions capitales, vinrent en discussion sensible-
ment en même temps. La proposition d'abolition
émanait de Jules Simon et de Steenackers. Elle fut
reprise, après avoir été rejetée le 22 mars 1870, par
voie d'amendement au projet de suppression de la
publicité que présentait Émile Ollivier. Les deux
furent alors rejetés, après que les partisans de l'abolition de la peine de mort eurent voté contre la suppression de la publicité. Gambetta, notamment,
prédit à l'occasion de ce débat que les exécutions
rendues clandestines ne soulèveraient plus aucune
révolte dans l'opinion et que la peine de mort en
serait consolidée. L'expérience des vingt dernières
années prouve qu'il avait vu juste.

Au cours de la Troisième République, divers projets et propositions concernant soit l'abolition de la
peine de mort, soit la suppression de la publicité des

exécutions capitales, furent déposés. Ils ne donnèrent lieu à aucun débat important. Nous en donnerons donc une liste rapide, nous arrêtant seulement à ceux qui provoquèrent des réactions particulièrement vives dans le public ou dans la presse.

Des propositions d'abolition furent présentées par Schœlcher, Louis Blanc, Le Royer, Frebault, Dejeante, Baraudé, Brunet, Flaissières, en 1872, 1876, 1878, 1879, 1886, 1898, 1900 et 1902.

De son côté, le Sénat votait en 1898 la suppression de la publicité, mesure qui ne fut jamais ratifiée par la Chambre.

Cependant, en 1906, Guyot-Desaigne, garde des Sceaux dans un ministère Clemenceau, déposait un projet d'abolition de la peine de mort. Un référendum fut alors ouvert par la presse : sur 1 412 347 réponses obtenues, 1 038 655 se prononcèrent en faveur du maintien.

L'année suivante, une proposition d'abolition fut déposée par un groupe de députés, l'initiative ayant été prise par Joseph Reinach. Parmi les signataires de la proposition se trouvaient Dejeante, Cruppi, Caillaux, Jaurès, Ferdinand Buisson, Millerand, Paul Brousse, Steeg, François Arago, Francis de Pressensé, Camille Pelletan, Allemane, Viviani, Deschanel, Alexandre Zévaès, et l'abbé Lemire, le seul parlementaire qui eût été sérieusement blessé lors de l'attentat de Vaillant. Joseph Reinach soutint la thèse de l'abolition devant la Société de droit pénitentiaire, contre l'avis d'un juriste, M. Joly, qui s'en déclara partisan « sans phrases ». Au cours de la discussion, le célèbre avocat Henri Robert intervint dans le sens de l'abolition. Protestant contre l'argument traditionnel avancé par M. Joly — qu'une peine perpétuelle est plus sévère que la mort — il déclara :

M. Joly est partisan de la peine de mort dans l'intérêt du condamné, il regrette presque que la condamnation ne soit pas mitigée par la loi Béranger, puisqu'il est ennemi de la peine perpétuelle. Ce que j'en retiens, c'est que si jamais vous êtes juré, je me hâterai de vous récuser, car vous condamneriez à mort par indulgence.

Henri Robert ajouta :

La peine de mort n'est pas exemplaire et les confidences que j'ai pu recevoir de la plupart des gens exposés à cette peine m'ont confirmé dans cette opinion. Les jeunes assassins ne la redoutent pas... On a exécuté, du temps de M. Carnot, qui n'était pas tendre, un individu, Jantron, qui avait dix-sept ans : c'est le plus jeune qu'on ait exécuté... Tous ces jeunes voyous avaient assisté à des exécutions capitales et ce spectacle... les a plutôt encouragés (*Revue pénitentiaire*, 1907, p. 298 et *sq.*, 425 et *sq.*).

Après la guerre de 1914, les propositions d'abolition, toujours déposées sans succès, se firent moins fréquentes. Notons celles de Renaudel, Richard et Durafour en 1927. Notons également qu'en 1919 un député demanda l'application de la peine de mort pour les spéculateurs, mesure qui ne fut pas votée alors, tandis que le projet Farge, rendant les crimes contre le ravitaillement passibles de mort, devait l'être en 1946. Notons également que M. Taittinger déposait le 28 mars 1935 une proposition destinée « à rendre la peine de mort plus rigoureuse ».

La seule mesure concernant l'application de la peine de mort qui devait être prise au cours de cette période le fut à la suite d'un scandale. En 1939, celui que provoqua l'exécution de Weidmann conduisit le gouvernement à décider, par le décret-loi du 24 juin 1939, que les exécutions ne seraient plus publiques. Elles ont lieu désormais dans les cours des prisons.

Mais la force de la tradition est telle que les « aggravations » de la peine de mort, conçues pour frapper l'imagination du public, sont maintenues, alors que le public ne se compose plus que de quelques gardiens, des représentants de l'administration pénitentiaire, du ministère public et de la défense : le parricide est encore mené, dans les couloirs de la prison jusqu'à la guillotine, avec la tête couverte d'un voile noir.

Quant à l'exécution par fusillade, elle se fait également avec plus de discrétion. On connaît les récits du conseiller Bouchardon, juge d'instruction attaché au tribunal militaire pendant la guerre de 1914-1918, et grand amateur d'exécutions càpitales. Jusqu'en 1939, le condamné était fusillé sur le front des troupes qui défilaient ensuite devant son cadavre au son de la marche des Girondins : *Mourir pour la patrie...* La dernière exécution à laquelle il fut procédé avec un tel cérémonial eut lieu, peu de temps avant la guerre, à Toulon. Un jeune enseigne de vaisseau, le lieutenant Aubert, avait été convaincu d'avoir livré des documents militaires à une puissance étrangère pour l'amour d'une belle espionne. Il fut exécuté devant toutes les troupes de la garnison. Le décret-loi de 1939 spécifie désormais que l'exécution aura lieu « hors de la vue du public ».

Il y est, techniquement, procédé toujours de la même façon. Les douze hommes du peloton sont tous des volontaires. Il leur est distribué douze fusils, dont un chargé à blanc, chacun pouvant ainsi penser qu'il n'est responsable en rien de la mort de celui sur lequel il a tiré. Le coup de grâce est donné par l'officier ou le sous-officier commandant le peloton, au revolver, derrière la tempe.

Au lendemain de la guerre de 1939-1945, deux propositions de loi pour la suppression de la peine de mort devaient être déposées devant l'Assemblée nationale, l'une en 1947 par l'abbé Gau (MRP), reprise en 1949; l'autre par M. Jules Moch et le groupe socialiste en 1953. Aucune de ces deux propositions n'a fait l'objet d'un débat public.

Cependant, à deux reprises, la presse s'est préoccupée de cette question. Des enquêtes sur la peine de mort ont été publiées par *France-Soir* et par *Le Figaro*. Ce dernier a ouvert, parmi ses lecteurs, un référendum. Sur 2 108 réponses, 1 769 étaient en faveur du maintien.

De son côté, le journal *L'Aurore* menait une vigoureuse campagne, principalement après le vote hostile à la peine capitale émis à la Chambre des communes, pour que la guillotine soit conservée à la France. Le 29 juin 1955, M. Henri Benazet écrivait, dans ce journal, un article intitulé : «Nécessité de la peine de mort», où l'on pouvait lire :

Allons, loin d'amollir la répression, il faut l'intensifier en mettant radicalement hors d'état de nuire les individus dangereux. Et sans considération d'âge ou de sexe.

Assez de sensiblerie déplacée! Assez de grâces inopportunes! Prenons plutôt exemple sur cette justice d'un pays étranger qui vient d'expédier *ad patres* un fieffé bandit de seize ans.

On sait que précisément ce fut l'exécution de ce «fieffé bandit de seize ans» qui détermina en Angleterre le mouvement d'opinion qui devait aboutir au vote de la Chambre des communes réclamant l'abolition de la peine de mort.

Mais le 25 janvier 1956, M. Henri Benazet écrivait un nouvel article : «Justification de l'échafaud», et le 29 février, un autre : «Le salutaire couperet», dans lequel il disait :

Hélas! il suffit que quelque rhéteur d'estrade, ou quelque sophiste de presse, entraîne derechef, ratiocinant dans l'abstrait, le procès de la guillotine, pour qu'ils se laissent peut-être ébranler encore.

Eh bien! qu'ils se gardent d'une telle sensiblerie...

De tels propos, qui nous ramènent au discours de Servan de 1776, reflètent-ils l'opinion du public? Que ces lignes aient été écrites dans un journal comme *L'Aurore*, particulièrement soucieux de suivre l'opinion de la partie la plus conservatrice du pays, fût-ce au prix de la pire démagogie, le ferait penser. Et la dernière enquête à laquelle a procédé, en 1956, l'Institut français d'opinion publique, ne fait malheureusement que le confirmer. Voici cette enquête, telle qu'elle a été publiée dans la presse:

Première question:

Les Anglais veulent supprimer la peine de mort. La loi française prévoit la peine de mort pour un certain nombre de cas. Vous-mêmes, êtes-vous pour la peine de mort dans tous les cas prévus, pour la peine de mort dans certains cas seulement, ou contre la peine de mort dans tous les cas?

Pour la peine de mort dans tous les cas . . . . 23 %
Pour la peine de mort dans certains cas . . . . 55 %
Contre la peine de mort dans tous les cas . . . . 19 %
Pas de réponse . . . . 3 %

Deuxième question (posée aux 55 % partisans de la peine de mort dans certains cas):

Dans le cas de haute trahison, êtes-vous pour ou contre la peine de mort?

Pour la peine de mort . . . . 18 %
Contre la peine de mort. . . . . 18 %
Ne se prononcent pas . . . . 19 %

Troisième question :

Pensez-vous que si, en France, on supprimait la peine de mort, le nombre des crimes augmenterait, diminuerait ou resterait le même ?

Augmenterait. . . . . 47 %
Diminuerait. . . . . 2 %
Resterait le même. . . . . 39 %
Ne se prononcent pas . . . . 12 %

En fait, après une courte période d'émotion, provoquée surtout par le film d'André Cayatte, *Nous sommes tous des assassins*, le public ne se préoccupe guère de la question. Les exécutions, passé les excès de l'épuration, deviennent de plus en plus rares et leur secret est bien gardé. À part quelques hommes qui manifestent, comme M. Henri Benazet, qu'ils sont, en la matière, plus «amateurs» — au sens où l'entendait l'exécuteur de Damiens — que «partisans», la plupart des Français considèrent d'abord que c'est là une question de peu d'importance, et rares sont ceux qui y trouvent encore l'occasion de porter un jugement appuyé davantage sur des principes que sur la sensibilité.

L'opinion publique ne se prononçant pas, le Parlement chôme. Non seulement les propositions d'abolition se font de plus en plus rares, mais les réformes du Code pénal ou du Code d'instruction criminelle actuellement à l'étude ne se préoccupent pas de la question.

DOCUMENTS ANNEXES

À la Libération, un certain nombre de collaborateurs sont condamnés à mort et exécutés. À Mauriac qui invoque la charité, Camus, dans ses éditoriaux de *Combat*, répond qu'il veut la justice avant la charité[1]. Quelques années plus tard, en 1948, au cours d'une conférence au couvent des Dominicains de Latour-Maubourg, Camus dira : « [...] il y a trois ans, une controverse m'a opposé à l'un d'entre vous et non des moindres. La fièvre de ces années, le souvenir difficile de deux ou trois amis assassinés, m'avaient donné cette prétention. Je puis témoigner cependant que, malgré quelques excès de langage venus de François Mauriac, je n'ai jamais cessé de méditer ce qu'il disait. Au bout de cette réflexion, et je vous donne ainsi mon opinion sur l'utilité du dialogue croyant-incroyant, j'en suis venu à reconnaître en

1. Éditoriaux des 18 octobre 1944 (« Parlons un peu d'épuration »), 20 octobre 1944 (« Nous ne sommes pas d'accord avec M. François Mauriac »), 21 octobre 1944 (« Oui, le drame de la France... »), 25 octobre 1944 (« Nous hésitions à répondre à M. F. Mauriac »), 5 décembre 1944 (« il y a entre M. Mauriac et nous... ») et 5 janvier 1945 (« La presse ces jours-ci... »). Voir à ce sujet Jacqueline Lévi-Valensi, *Camus à « Combat »* (éditoriaux et articles de Camus dans *Combat*), *Cahiers Albert Camus*, Gallimard, (à paraître).

moi-même, et publiquement ici, que, pour le fond, et sur le point précis de notre controverse, M. François Mauriac avait raison contre moi[1] ».

Mais si, en 1944, Camus souhaite la justice, il se rend très vite compte des difficultés qu'il y a à la rendre, et il est conduit à prendre parti contre l'exécution des peines de mort prononcées. Lorsque le 25 janvier 1945, Marcel Aymé lui demande d'intervenir en faveur de Robert Brasillach[2], «au nom de la fraternité littéraire» et de «la fraternité tout court», Camus lui répond :

Paris le 27 janvier 1945

Monsieur,

Vous m'avez fait passer une mauvaise nuit. Pour finir, j'ai envoyé aujourd'hui même la signature que vous m'avez demandée. Votre lettre cependant n'avait rien pour me toucher ni me convaincre.

Je signe cette demande de grâce pour des raisons qui n'ont rien à voir avec celles que vous me donnez. Votre lettre, en me mettant directement devant le problème, m'a seulement permis de les retrouver.

J'ai toujours eu horreur de la condamnation à mort et j'ai jugé qu'en tant qu'individu du moins, je ne pouvais y participer, même par abstention.

C'est tout, et c'est un scrupule dont je suppose qu'il ferait bien rire les amis de Brasillach.

Mais, quant à celui-ci, s'il est gracié et si l'amnistie vient le libérer comme il se doit dans un ou deux

1. *Actuelle I*, in *Essais*, Gallimard, Bibliothèque de la Pléiade, p. 371.
2. Condamné à mort pour avoir écrit et publié sous l'Occupation de nombreux articles en faveur de l'Allemagne hitlérienne dans *Je suis partout*, journal collaborationniste et antisémite, dont il était le rédacteur en chef.

ans, je voudrais qu'en ce qui concerne ma lettre, vous puissiez lui dire ceci.

Ce n'est pas pour lui que je joins ma signature aux vôtres. Ce n'est pas pour l'écrivain que je tiens pour rien, ni pour l'individu que je méprise de toutes mes forces. Si j'avais même été tenté de m'y intéresser, le souvenir de deux ou trois amis, mutilés et abattus par les amis de Brasillach pendant que son journal les encourageait, m'en empêcherait.

Vous dites qu'il entre du hasard dans les opinions politiques et je n'en sais rien. Mais je sais qu'il n'y a pas de hasard à choisir ce qui vous déshonore.

Et ce n'est pas par hasard que ma signature va se trouver parmi les vôtres, tandis que celle de Brasillach n'a jamais joué en faveur de Politzer ou de Jacques Decour[1].

Je voudrais donc que vous disiez cela à Brasillach et aussi que je ne suis pas un homme de haine, me sentant plutôt porté vers la retraite que vers la politique.

Peut-être comprendra-t-il alors quelques-unes des nuances qui lui ont manqué et qui font que je ne pourrai jamais lui serrer la main.

ALBERT CAMUS

Le même jour, Albert Camus écrit à maître Isorni, le défenseur de Robert Brasillach, l'autorisant à «faire état de [sa] signature en ce qui concerne la demande de grâce de Monsieur Robert Brasillach». Il ajoute: «Je compte seulement sur votre loyauté

---

1. Georges Politzer: philosophe marxiste d'origine hongroise, militant communiste, fusillé par les Allemands en 1942, à l'âge de trente-neuf ans. Jacques Decour: professeur, communiste, fusillé par les Allemands en 1942 à trente-deux ans.

pour bien vouloir noter que j'agis à titre purement personnel et qu'il n'est pas possible que vous utilisiez mon titre de rédacteur en chef de *Combat*. Mes collaborateurs en effet, et dans la majorité, ne s'associeraient certainement pas à ma décision.» Brasillach n'obtint pas sa grâce et fut fusillé le 6 février 1945.

En décembre 1946, Albert Camus s'associe de nouveau à une demande de grâce en faveur de deux journalistes de *Je suis partout*, dont Lucien Rebatet.

Paris, le 5 décembre 1946

Monsieur le Garde des Sceaux[1],

On me prie de joindre ma signature à la demande de grâce qui a été faite en faveur des journalistes de *Je suis partout* condamnés à mort. Je le ferai dans cette lettre en vous exposant mes raisons aussi brièvement que je le puis.

Mon intention n'est pas de diminuer la faute de Rebatet et de son compagnon. Si je puis me permettre une allusion personnelle, vous m'avez rencontré à un moment où nous tenions ces journalistes pour des ennemis mortels qui, sans aucun doute, n'auraient pas ménagé nos propres vies. Vous savez donc que rien, ni dans ces écrivains ni dans ces hommes, n'a jamais fait naître en moi quoi que ce soit qui ressemble à de l'indulgence. Pour tout dire, comme vous, et comme la Cour de Justice, je les juge coupables.

Cependant, ces hommes, aujourd'hui, attendent tous les matins le moment de leur mort, et j'ai assez d'imagination pour savoir qu'ils payent alors, dans

---

1. Après la démission du général de Gaulle en janvier 1946, Félix Gouin avait été nommé président du Conseil. Son garde des Sceaux était Pierre-Henri Teitgen, qui appartenait au MRP.

l'angoisse et la mauvaise conscience, le prix le plus haut qu'un homme puisse payer pour ses crimes. Et si j'ai combattu ces hommes jusqu'au bout, un mouvement plus fort que toute justice m'oblige maintenant à souhaiter qu'on épargne ces condamnés et qu'on leur rende seulement cette vie que dans leur folie ils ont assez méprisée pour en faire bon marché quand il s'agissait des autres.

J'ai longtemps cru que ce pays ne pouvait pas se passer de justice. Mais je ne vous offenserai pas, ni personne autour de vous, en disant que la justice depuis la Libération s'est révélée assez difficile pour que nous ne sentions pas maintenant que toute justice humaine a ses limites et que ce pays, finalement, peut aussi avoir besoin de pitié.

Où serait aussi bien la supériorité de ce que nous défendons si nous n'étions pas capables de surmonter notre plus légitime ressentiment. Beaucoup disent, je le sais, que la mort est un exemple. Je n'en crois rien pour ma part. Mais de ce point de vue, de grands et de graves exemples ont déjà été donnés. Je sais aussi qu'il y a de l'injustice à exécuter Brasillach et à laisser vivre Rebatet. Mais il n'y en a pas moins à épargner des hommes politiques qui ont couvert Rebatet en même temps que bien d'autres, et, de ce point de vue encore, ne pouvant tout égaliser dans le châtiment suprême, il faut reconnaître que nous ne pouvons pas nous passer de la clémence.

Ce n'est donc pas la justice que je viens vous demander par cette lettre, estimant qu'elle a été rendue en cette affaire, mais la simple pitié pour des coupables qui ne relèvent plus que de la pitié, et dont j'espère, qu'au lieu d'une mort honteuse et misérable, nous aurons contribué ainsi à leur fournir l'occasion de mesurer mieux l'étendue de leur faute.

En vous demandant de recevoir favorablement

une démarche dont je voudrais vous dire seulement qu'elle n'est pas facile pour moi, je vous prie de croire, Monsieur le Garde des Sceaux, à l'assurance de mes sentiments de considération.

ALBERT CAMUS

Lucien Rebatet et son compagnon furent graciés. Libéré en 1952, amnistié en 1953, Lucien Rebatet est mort en 1972.

À plusieurs reprises, et encore récemment, des meurtriers ont invoqué pour circonstance atténuante la lecture de *L'Étranger*. Ce fut le cas en 1950 de Claude Panconi, meurtrier du jeune Alain Guyader, dans l'affaire dite des J3. Le 4 février 1951, le père de la victime écrit à Camus pour lui demander de désavouer de telles affirmations. Le 12 février 1951, Camus lui répond :

Monsieur,
Je comprends et je partage vos sentiments : j'ai un fils. Mais le ton de votre lettre me pousse à croire que je puis vous parler à cœur ouvert. Il me serait facile comme vous me le demandez, de protester contre l'utilisation assez répugnante faite de mon œuvre et de mon nom ; de dire qu'entre les millions de personnes qui ont lu ou vu *Œdipe roi*, personne n'en a tiré l'idée qu'il faille tuer son père ou épouser sa mère ; que peindre le crime parce que le crime existe, n'est pas le conseiller ; qu'après tout, l'empoisonneur pourrait se couvrir du nom de M. Mauriac et de la grâce divine, le sadique du nom de M. Gide et de l'acte gratuit. D'une façon générale, toutes les sortes de crime ont été décrits et parfois

excusés ou absous par la littérature. Il faudrait donc ou considérer la littérature comme une école de criminels ou renoncer une fois pour toutes à ce qui me paraît être malheureusement plus un système de défense qu'une vérité psychologique.

Ceci étant établi, en dehors de cette conviction interne qui justement ne fait pas preuve, rien ne me prouve hélas, que ce malheureux assassin n'a pas lu en effet les livres dont il parle et qu'ils n'ont pas agi sur lui dans le sens qu'il dit. Dans ce cas, si dur que cela soit pour moi, je serai coupable également. Par sa faute plus que par la mienne sans doute, mais il n'empêche que cette pensée est pour moi infiniment plus douloureuse que je puis vous le dire. Elle est trop grave en tout cas pour que je puisse accabler avec désinvolture un homme sur qui pèse la menace d'une mort terrible. Écrivant ceci, je n'oublie rien du crime affreux qui consiste à abattre sans pitié un malheureux enfant. Je n'oublie rien de la douleur qui est la vôtre et que je crois bien imaginer. Mais si je nie, fermement et sans recours, que *L'Étranger* puisse inciter au crime, ce livre, comme tous mes autres livres, sans exception, illustre à sa manière mon horreur du châtiment absolu et l'interrogation angoissée qui est la mienne devant toute culpabilité. Mon métier, Monsieur, et pour la première fois je le dis avec tristesse, ne consiste pas à accuser les hommes. Il consiste à les comprendre, à donner une voix à leur malheur commun. Voilà pourquoi je ne puis me mettre, quoi que je pense, du côté de l'accusation, fût-ce pour épargner ma réputation d'écrivain. Il est juste que cette réputation soit mêlée à ces criminels, même de cette indigne façon, si mes livres, ce que je ne peux savoir, ont pu laisser un seul doute, entre mille certitudes, sur ma pensée. C'est la rançon et la servitude quelquefois insupportables de ma vocation. Ce procès, pour ma part, ne me parlera que de malheur. Le malheur de votre enfant et le vôtre, celui, horrible, de l'homme qui a versé le sang, enfin celui de ne pouvoir juger, et par conséquent, d'être soi-même jugé d'une certaine façon.

Pardonnez-moi en tout cas de ne pas vous répondre comme je l'aurais voulu. Ces longues explications et cette lettre où je vous parle de tout cœur vous diront peut-être combien profondément je ressens et je prends tout ceci. Je n'espère pas que vous approuviez ma décision mais je voudrais au moins que vous ne doutiez pas de mes sentiments respectueux.

ALBERT CAMUS

Sous le titre : « Albert Camus rejette la prétention du J3 Panconi d'avoir commis un assassinat "gratuit" inspiré de son œuvre », l'hebdomadaire *Ici-Paris* publiait intégralement quelques semaines plus tard la lettre de Camus, que la rédaction précisait tenir de son destinataire. Le 2 avril 1951, Camus adresse au rédacteur en chef d'*Ici-Paris* une lettre de protestation :

Monsieur le Rédacteur en chef,

Je tiens à protester contre le fait que vous ayez cru pouvoir publier la lettre personnelle que j'ai adressée à Monsieur Raymond Guyader au sujet de l'affaire des J3. Le ton même de cette lettre aurait dû vous prouver qu'il ne s'agissait pas d'un « curieux point de controverse littéraire », mais de la confidence qu'un homme faisait à un autre à propos d'une douloureuse tragédie. La publication des correspondances privées n'était pas encore entrée dans l'habitude du journalisme. Ce n'est certes pas moi qui vous aiderai, par mon silence, dans cette singulière entreprise.

Je proteste de surcroît contre la façon dont cette lettre est présentée. Je note à peine que le héros de *L'Étranger* n'a jamais «savouré» comme vous le dites la joie de posséder un revolver ni imaginé celle de tirer dans le dos des passants. Ceci prouve seulement que votre rédacteur lit plus volontiers la Série noire que mes livres, et je n'y vois pas d'inconvénients. Mais il y a plus grave. Ma lettre, qui exprimait surtout un refus motivé de me placer du côté de l'accusation, est titrée et présentée typographiquement de manière à favoriser cette même accusation. Je vous laisse la responsabilité de ces procédés, qui sont les servitudes, le mot est juste, d'un certain journalisme. Mais vous voudrez bien publier qu'elles ne sont pas les miennes. Contre un prisonnier qui attend l'heure de son jugement, je ne puis rien vous laisser utiliser de ce que j'ai dit ou écrit.

Veuillez agréer, Monsieur le Rédacteur en chef, l'assurance de mes sentiments distingués.

ALBERT CAMUS

Ici-Paris n'ayant pas donné suite à cette lettre, Camus demande au *Monde* de publier une nouvelle protestation qu'il lui adresse le 7 mai 1951[1].

Dans ces années de guerre froide, Camus est amené à protester contre des condamnations à mort prononcées dans les deux camps, tant en URSS et dans les pays du bloc de l'Est, que dans les pays du «monde libre», si l'on peut qualifier ainsi la dictature espagnole ou le régime iranien.

1. Il semble que *Le Monde* n'ait pas publié cette protestation.

En février 1949, Albert Camus proteste contre la condamnation à mort du syndicaliste anarchiste espagnol, membre de la Confédération nationale du Travail, Marcos Nadal. Un télégramme signé conjointement par André Gide, André Breton, Jean-Paul Sartre, François Mauriac, René Char et Albert Camus est adressé au gouvernement du général Franco : « Les écrivains soussignés vous demandent avec insistance la grâce de Marcos Nadal, condamné à mort par le tribunal militaire d'Ocana. » Une lettre est adressée à l'ambassadeur d'Espagne en France par la section française des groupes de Liaison Internationale[1]. On y lit notamment, sous la signature, entre autres, de René Char, Louis Guilloux et Albert Camus[2] : « Laissant de côté toute question d'idéologie, nous voulons seulement souligner la rigueur d'une telle sentence et faire appel à un sentiment d'humanité élémentaire pour demander que [l'] application [de cette peine] soit définitivement suspendue. » De son côté, Camus écrit à Robert Schuman, ministre des Affaires étrangères, et lui demande d'intervenir de manière urgente. Il conclut : « De grands principes et ce qui vaut mieux encore, la vie d'un homme libre, sont en cause et constituent mon excuse pour ajouter à vos préoccupations. »

En 1951, c'est sans doute avec les groupes de Liaison Internationale que Camus intervient auprès

---

1. Dans sa lettre à Robert Schuman dont un extrait est cité *infra*, Albert Camus précise : « Les groupes de Liaison Internationale [...] réunissent autour d'eux des intellectuels et des militants libéraux du monde entier... » Leur objectif est à la fois d'informer l'opinion en Europe et de mettre en œuvre des actions de solidarité concrète.

2. Les autres signataires sont : Jean Bloch-Michel, Charles Cordier, Robert Jaussaud, Roger Lapeyre, N. Lazarévitch, Marthe Mercier, Henriette Pion, Alfred Rosmer, Gilbert Salomon, Gilbert Sigaux, Albert Thomas, Gilbert Walusinski et Denise Wurmser.

du président de la République grecque, comme l'indique un document dont seul un double non signé figure au fonds Albert Camus.

Monsieur le Président,
Dans les prisons grecques se trouvent actuellement plusieurs milliers de condamnés à mort des deux sexes. Pour quelques-uns, la sentence qui les menace date des années 1945-1946, pour les plus nombreux de 1948-1949. La plupart de ces jugements ont été prononcés par des tribunaux militaires, au milieu des passions aveugles de la guerre civile. [...]
Depuis un an et demi, la guerre civile est terminée. Et depuis lors, ces condamnés vivent chaque soir leur agonie dans l'attente du jour de leur mort. Votre gouvernement, dans un certain nombre de cas, a promis de ne pas faire exécuter les sentences. Mais aucune grâce officielle n'a été communiquée aux condamnés ni à leur famille. Mais d'autres exécutions ont jeté ces familles dans l'angoisse. En tant qu'écrivains et intellectuels, notre imagination est vive devant une si tragique situation. C'est pourquoi nous vous demandons une mesure de grâce définitive pour l'ensemble de ces condamnés. [...] La plupart d'entre nous ont choisi, dans le malheur où vit aujourd'hui l'Europe, de sauver des vies humaines plutôt que d'intervenir dans les conflits idéologiques. C'est donc au nom de la plus simple humanité que nous nous adressons à vous. [...]

Le 22 février 1952, Albert Camus participe à un meeting salle Wagram à Paris, aux côtés du critique suisse Albert Béguin, d'André Breton, de Jean-Paul Sartre, René Char, Louis Guilloux et Ignazio Silone, pour protester contre la condamnation à mort de onze syndicalistes espagnols.

[...] Il est temps [dit Camus [1]], il est grand temps, que les représentants des démocraties désavouent cette caricature et renient en public, définitivement, la curieuse théorie qui consiste à dire «Nous allons donner des armes à un dictateur et il deviendra démocrate». Non! Si vous lui donnez des armes, il tirera à bout portant, comme c'est son métier, dans le ventre de la liberté. [...]

Ne cédons pas surtout, à la tentation de dire que ce martyre ne sera pas inutile. Car si le martyre ne peut compter, pour être utile que sur la mémoire des hommes, il risque un jour d'être vain. Il y a trop de victimes aujourd'hui et de tous les bords : la mémoire n'y suffit plus. Nous n'avons pas besoin de la mort de ces hommes, nous avons besoin de leur vie d'abord. [...]

Onze hommes sont condamnés à mort. Cela est intolérable, quelles que soient les raisons alléguées. On assassine depuis de longues années en Espagne, et on assassine ailleurs, dans bien des pays et des continents, sous des formes de meurtre très variées, mais qui sont toujours le meurtre. On tue beaucoup de nos jours. Pourtant les cas des onze syndicalistes de Séville est plus clair qu'aucun autre, il nous jette à la face le scandale du meurtre moderne, dont les conditions et les motifs proclamés sont particulièrement atroces. [...]

Cinq des onze condamnés furent exécutés par le régime franquiste.

---

1. Le discours de Camus a été publié dans le numéro d'avril 1952 de la revue *Esprit*.

Le 12 novembre 1954, Albert Camus répond dans *Le Monde* à une lettre de l'ambassadeur de Téhéran, qui semble croire que seuls les communistes s'indignent des récentes exécutions iraniennes.

[...] À vrai dire, il n'y aurait aucune raison pour beaucoup d'entre nous de se joindre à des protestataires qui n'ont jamais élevé la voix pour les exécutions commises à intervalle régulier derrière le rideau de fer (cette semaine encore deux condamnations à mort) et chez qui la neutralité reste, si j'ose dire, hémiplégique. [...] Mais justement, le gouvernement iranien aurait tort de se reposer sur l'idée confortable que seuls les communistes et leurs alliés protestent contre ces exécutions. [...] Car ce qui fait sursauter devant ces exécutions, ce n'est pas leur illégalité, que de si loin il est difficile d'apprécier, mais leur masse. Ce n'est pas, en un mot, leur qualité, mais leur quantité. On parle de centaines de condamnations, on vient d'en exécuter vingt-trois, on nous en promet d'autres. Quand même le gouvernement iranien aurait tout le droit écrit pour lui, nous ne pouvons lui reconnaître celui de massacrer à une telle échelle. Quelles que soient les raisons juridiques ou nationales qu'on invoque, on ne nous empêchera pas de penser qu'une telle boucherie, car c'en est une, n'a qu'un rapport lointain avec la justice et la dignité nationale qu'on prétend préserver en cette affaire. En même temps que beaucoup d'écrivains français qui ne sont ni des partisans ni des complices, je supplie donc Monsieur l'Ambassadeur d'estimer à sa vraie valeur l'émotion soulevée chez nous par ces événements et d'user de toute son influence pour que les exécutions soient enfin arrêtées. [...]

Le 6 décembre 1955, dans un article de *L'Express* intitulé « L'enfant grec », Camus proteste contre la condamnation à mort d'un jeune Chypriote par la puissance coloniale : « Depuis quelques semaines, Chypre révoltée a un visage, celui du jeune étudiant cypriote Michel Karaoli condamné par les tribunaux britanniques à la pendaison. On meurt aussi, et affreusement, dans l'île heureuse où Aphrodite est née. [...] Mais [les conservateurs anglais] perdront bien plus que la face si le maintien, forcément provisoire, de la situation actuelle doit être payé par le meurtre d'un enfant. Puisque les discussions sont en cours, le gouvernement britannique a l'occasion en tout cas de leur donner une chance de fécondité en épargnant le jeune condamné. Le temps des empires s'achève, celui des libres communautés commence, à l'Occident du moins. Sachons le reconnaître et favoriser le grand avenir au lieu de lui briser la nuque. Ce sont les amis de l'Angleterre autant que ceux du peuple grec qui lui demandent de sauver d'abord Michel Karaoli et de lui rendre ensuite une patrie vieille de trois mille ans[1]. »

Le 4 décembre 1957, Albert Camus adresse un télégramme à Ngo Dinh Diem, président de la république du Sud-Vietnam, pour lui demander la grâce de l'écrivain Ho Huu Tuong, condamné à mort par le tribunal militaire de Saigon pour « rébellion armée ». En juillet 1959, Albert Camus écrit à nouveau au président Diem pour demander que Ho Huu Tuong, qui a été gracié, soit libéré du bagne de Poulo Condor pour raison de santé.

---

1 Cet article a été repris dans Actuelles II, *Essais, op. cit.*, p. 1768.

Les événements qui se déroulaient en Afrique du Nord allaient conduire Camus à intervenir discrètement, à de nombreuses reprises, en faveur de condamnés dont il désapprouvait l'action.

En 1954, Camus adhère, malgré des réserves, au Comité pour l'amnistie aux condamnés politiques d'outre-mer qui vient de se constituer et qui est présidé par le spécialiste de l'islam, Louis Massignon[1]. Le 15 mars 1954, sous la signature de Louis Massignon, François Mauriac, Émile Kahn, Paul Rivet et Jean-Paul Sartre, le Comité sollicite auprès de René Coty, tout nouveau président de la République, la grâce de sept Tunisiens condamnés à mort.

C'est indépendamment du Comité que, le 22 mars 1954, Camus écrit à son tour à René Coty, en faveur des sept Tunisiens condamnés à mort pour le meurtre de trois policiers, meurtres qu'ils ont avoués hors de la présence de leur avocat. Camus souligne «les méthodes trop souvent employées pour l'obtention de ces aveux», méthodes qui «ne peuvent que susciter la tristesse et l'indignation de tout Français attaché à son pays» et qui «jettent au moins un doute, si léger soit-il, sur la culpabilité des accusés».

[...] Et [ajoute-t-il], quand bien même ce doute serait infime, il suffirait à rendre insupportable l'idée que ces hommes puissent être exécutés. En ce qui me concerne, j'ai toujours été opposé à la peine de mort et j'ai toujours envié à la haute et difficile fonction

---

1. Le bureau provisoire du Comité, outre le président, se compose notamment de Charles-André Jullien, Claude Bourdet, maîtres Yves Dechezelles et Pierre Stibbe, et du pasteur Vienney. Parmi les adhérents figurent, entre autres, les sénateurs Léo Hamon et Edmond Michelet, le député Emmanuel d'Astier, Jean-Marie Domenach, rédacteur en chef d'*Esprit* et Émile Kahn, président de la Ligue des droits de l'homme.

que vous exercez le droit de grâce qui y est attaché. Mais ce n'est plus une raison de principe qui me force à m'adresser à vous, dès l'instant où je vois que des hommes risquent d'être soumis au châtiment absolu au nom d'une culpabilité qui n'est pas absolument prouvée.

Je sais tous les arguments qui peuvent être présentés en faveur de cette exécution. Je sais aussi que le monde d'aujourd'hui est livré presque tout entier à la raison d'État. Mais le droit de grâce dont vous disposez souverainement est un des rares contrepoids à cette raison d'État et c'est à lui, en même temps qu'à votre bienveillance, que je me permets d'en appeler avec beaucoup d'émotion pour que cette condamnation ne soit pas exécutée. Si le premier des Français et le président de l'Union française acceptait de commencer sa magistrature par un tel acte de grâce, ce geste, soyez-en sûr, Monsieur le Président, recevrait aujourd'hui sa pleine signification et ne rendrait pas seulement sept malheureuses familles à l'espoir. Il servirait aussi la cause française en Afrique du Nord et satisferait finalement, par un détour généreux, à la raison d'État elle-même. [...]

Il semble qu'au moment où Camus intervenait, trois des condamnés avaient été déjà secrètement exécutés.

En 1956 et 1957, la guillotine fonctionne souvent. Entre avril 1956 et novembre 1957, il y a, selon les chiffres recueillis par Germaine Tillion[1], cinquante-cinq exécutions légales à Alger. Camus est sollicité par deux avocats, Gisèle Halimi et son ami Yves Dechezelles qui «tremble d'angoisse». «Mais, bon Dieu, il faut que tu cries», lui écrit ce dernier.

---

1. Voir la lettre de Germaine Tillion à Albert Camus citée *infra*.

En décembre 1957, se déroule le procès de l'étudiant Ben Sadok qui a assassiné le vice-président de l'Assemblée algérienne. Albert Camus accepte d'intervenir en faveur de Ben Sadok, à condition qu'il ne soit pas fait état publiquement de sa démarche. «Je refuse depuis deux ans, explique-t-il dans une lettre à Pierre Stibbe, l'avocat de Ben Sadok, en ce qui concerne l'Algérie, et je continuerai de refuser jusqu'à ce que j'entrevoie la possibilité d'une action efficace, toute manifestation publique susceptible d'être exploitée politiquement et d'ajouter ainsi au malheur de mon pays. En particulier, je ne veux en aucun cas donner bonne conscience, par des déclarations sans risque pour moi, au fanatique stupide qui tirera à Alger sur une foule où se trouveront ma mère et tous les miens. Cette raison qui peut paraître naïve à Paris, a pour moi la force d'une passion approuvée par la raison.»

Le 4 décembre, Albert Camus écrit donc au président de la cour d'assises :

Monsieur le Président,
Le défenseur de l'accusé Ben Sadok m'ayant demandé de faire connaître mon sentiment à la cour que vous présidez, j'ai tenu à le faire de manière non publique afin que nulle exploitation politique ne puisse être opérée sur ma déclaration. Je vous exprime d'avance ma gratitude de bien vouloir m'entendre dans ces conditions un peu exceptionnelles.
Je suis, par conviction raisonnée, opposé à la peine de mort en général et j'ai donné, sous la forme d'un livre, une expression publique de cette conviction qui suffirait déjà à justifier cette lettre. Mais dans les circonstances présentes, j'obéis plus au sentiment que dans le cas de Ben Sadok, bien que je désapprouve entièrement son acte, il serait à la fois

humain et réaliste de lui éviter le châtiment capital.
Humain, car son acte, si insensé et stupide qu'il soit,
ne peut être comparé à ces actes de terrorisme
raciste qui tuent indistinctement la femme et l'enfant
au milieu d'une foule innocente. Même si l'on n'ap-
prouve pas ou si l'on condamne ses motifs, ils sont
d'un ordre différent. Je suis un adversaire des thèses
et des actes du FLN, mais il me semble que justement, dans un moment où la France peut espérer
restaurer une paix de dignité sur une terre dont le
malheur a retenti douloureusement dans l'Algérien
que je suis, une exécution ne fera que compromettre
les chances de cet avenir que nous espérons tous.
Une sentence qui ferait sa part à la compassion y
aiderait au contraire.

Pour toutes ces raisons, je me suis décidé, après
de pénibles débats avec moi-même, à venir vous
confier mon opinion en espérant que vous voudrez
bien la faire connaître en dehors de toute publicité
au jury de votre cour. Je vous suis reconnaissant
dans tous les cas de me permettre de m'adresser à
vous avec confiance et je vous prie de croire, monsieur le Président, à mes sentiments de haute considération.

ALBERT CAMUS

L'hebdomadaire *France-Observateur* ayant fait
état, en la critiquant, de l'intervention de Camus,
celui-ci écrit le 27 décembre à Pierre Stibbe : « Je
désespère de faire comprendre à vos camarades et à
vous que ce n'est pas tant des positions politiques
différentes qui nous séparent que des méthodes
auxquelles je ne pourrai jamais me résigner. Cette
dernière affaire me décourage en tout cas définitivement. Désormais, attaques publiques ou démarches

privées venues de ce bord recevront la seule réponse qui me paraisse maintenant possible et décente, je veux dire le silence. »

Le 17 mars 1958, Camus demande au président de la République[1] la grâce de l'étudiant Taleb Abderrahmane. « Ce que j'ai pu connaître du dossier de ce condamné m'a persuadé qu'il ne s'agissait pas, dans son cas, d'un tueur sans scrupules mais plutôt d'un esprit faible et tourmenté que l'extrême pauvreté et les circonstances contraires ont amené à participer à une action dont il n'a pas accepté, finalement, les conséquences. Je continue de penser qu'une suspension générale des exécutions aiderait à installer un climat où une solution raisonnable pourrait se faire jour. »

Le 3 janvier 1959 Germaine Tillion écrit à Camus.

Cher Monsieur,

Le Conseil supérieur de la magistrature ne se réunira pas avant le 15, c'est dire malgré tout qu'il y a urgence.

J'ai cependant déjà eu le temps de remettre les dossiers que je vous envoie notamment à Monsieur Delouvrier[2].

Ma grande cause d'angoisse actuelle tient à la reprise des attentats FLN. Il est à craindre que selon les vieilles méthodes classiques on réponde du tac au tac. Alors qu'il serait, à mon avis, grand temps de faire des « offensives de paix ».

J'ai cru comprendre que le Général[3] souhaite faire

---

1. C'est encore René Coty pour quelques mois.
2. Délégué général du gouvernement à Alger.
3. De Gaulle.

une amnistie très large — mais non totale. Or, il y aurait cent cinquante-huit condamnés à mort à Barberousse[1] et quatorze ici à la prison de la Santé. Quels seront ceux qui, dans le nombre, vont apparaître «sur dossier» comme représentant l'exécuté idéal?

Les quatre hommes sur lesquels je vous envoie une note brève sont tous quatre exposés. Celui pour lequel j'ai le plus peur c'est évidemment Yacef[2], d'une part parce que je le connais et d'autre part, parce qu'il a fait la chose la plus courageuse qui soit, sur le plan moral : s'arrêter. Il est à ma connaissance le seul qui ait fait cela dans les deux camps depuis quatre ans.

Fettal. Pour le second, j'ai très peur parce que sa grâce a été refusée par Coty. Or, outre le fait qu'on n'a même pas pu l'accuser d'une seule mort, même par complicité, il y a à mes yeux le poids de sa valeur humaine qui certainement a contribué à aggraver la fureur de ceux qui l'interrogeaient et qui est confirmée par le fait qu'il a été désigné par tous les condamnés à mort de Barberousse comme celui auquel ils obéissent et qui parle en leur nom.

Le troisième, vous le connaissez personnellement et il semble être actuellement en particulier péril, car on a retenu contre lui des déclarations (démenties par la suite) qui le représentent comme l'organisateur de l'attentat dit «des lampadaires».

Est-il ou n'est-il pas l'organisateur de ces attentats? En conscience il est impossible de le savoir.

---

1. La prison d'Alger.
2. Dans *Les Ennemis complémentaires* (Éditions de Minuit, 1960), Germaine Tillion a fait le récit de sa rencontre avec Saadi Yacef, en juin 1957 à Alger. Au cours de cette réunion Yacef s'engagea à arrêter les attentats tant qu'il n'y aurait pas d'exécution — et tint parole.

En tout cas, aucun fait matériel, aucun témoin ne le confirment et toute l'accusation est basée exclusivement sur des témoignages qui ont été démentis à l'audience et des aveux obtenus par la torture et démentis également.

Sur le quatrième je sais seulement qu'il se nomme Ali Moulay, qu'il a fait partie du Service civil international et qu'il était très aimé de ses camarades [...].

Je ne minimise pas les horreurs des attentats commis par le FLN, mais *à vous* je peux dire que s'ils ont fait à Alger même vingt et un morts et des quantités de blessés (je tiens ces chiffres d'un réquisitoire récent du Commissaire au gouvernement) il y a eu d'autre part, entre avril 1956 et novembre 1957, pour Barberousse seulement, cinquante-cinq exécutions à la guillotine, et on comptait à la fin de 1957 trois mille vingt-sept disparitions[1]. Entendez par là des gens arrêtés par la police ou les parachutistes, au vu et au su de leurs familles et de tout leur quartier, et pour lesquels un acte de décès a été établi: «pris et fusillé dans le maquis».

Par contre, je ne connais aucun cas de gens figurant dans un dossier de disparition et qui ait été effectivement retrouvé au maquis ou ailleurs.

En dehors d'un simple d'esprit (civil) qui s'est fait prendre par les militaires, assassinant une famille musulmane pour des raisons crapuleuses (et non politiques) et qui a été jugé à Aix-en-Provence, je n'ai pas connaissance d'un seul Français qui ait été puni pour avoir assassiné des musulmans. Or la proportion des assassinats entre les deux popula-

---

1. En marge de cette lettre dactylographiée, Germaine Tillion ajoute à la main: «Ces chiffres sont naturellement confidentiels. Ils ne peuvent faire — publiés — que du mal.»

tions est, pour un[1] assassinat commis par eux, cent commis par nous (approximativement). [...]

GERMAINE TILLION

Le 11 janvier 1959, Camus intervient auprès du général de Gaulle, président de la République depuis décembre 1958, en faveur de trois des condamnés à mort algériens. «Il ne s'agit pas pour moi de minimiser la responsabilité de ces condamnés dans la mesure où elle a été établie. Mais les décisions d'indulgence qui ont été à mon grand soulagement, annoncées, risquent de ne pas concerner ces cas particuliers et il m'a semblé de mon devoir de rappeler alors les circonstances qui, à mon sens, rendraient peut-être impolitique et certainement cruel un châtiment définitif[2]. [...]»

En 1959, un film de Robert Wise donne à Camus l'occasion d'exposer une fois encore ce qu'il pense de la peine de mort. *I Want to Live* (*Je veux vivre*) décrit le procès et l'exécution d'une meurtrière. Camus écrit: «L'histoire sans pitié que retrace ce film est une histoire vraie. Il fallait que cette histoire soit racontée au monde entier; il faudrait que le monde entier la regarde et l'écoute. À quoi servirait le cinéma s'il ne servait à nous mettre en face des réalités de notre temps? Voici la réalité de notre temps, et nous n'avons pas le droit de l'ignorer. Un jour viendra où de semblables documents nous sem-

1. Germaine Tillion nous a indiqué en juillet 2001 qu'elle s'était trompée, qu'il fallait lire «dix» au lieu de «un», et qu'elle l'avait d'ailleurs, à l'époque, corrigé oralement auprès d'Albert Camus.
2. Les doubles des dossiers, que Camus transmit au général de Gaulle par l'intermédiaire d'André Malraux, n'ont pas été conservés.

bleront le témoignage de temps préhistoriques, où nous ne les comprendrons pas plus que nous ne comprenons qu'en d'autres siècles on ait pu brûler des sorcières ou couper la main droite des voleurs. Ce jour de véritable civilisation est encore à venir, en Amérique comme en France, mais l'honneur de ce film est de contribuer au moins à son avènement. »

Repris aux États-Unis par la publicité du film, ce texte suscite l'indignation d'un journaliste américain, Jack Beck, qui a suivi l'affaire. C'est surtout la première phrase qui le choque. Selon lui il ne s'agit pas d'une histoire vraie, tant les faits ont été choisis et déformés par Wise pour servir la cause de la lutte contre la peine de mort. Romain Gary, alors consul de France à Los Angeles, à qui Beck a fait part de son indignation, l'encourage à écrire à Camus. Celui-ci lui répond le 4 juin 1959.

Cher Monsieur Beck,

Je vous suis bien reconnaissant de la manière franche et confiante avec laquelle vous m'avez écrit. J'ai pu en effet être mal renseigné. Cependant, puis-je vous dire que je ne suis pas tout à fait convaincu d'avoir eu tort. Pour le principe d'abord. Je suis en effet un adversaire réfléchi de la peine de mort et je suis d'avis que celle-ci n'est acceptée par de si larges secteurs de l'opinion que parce qu'une exécution demeure pour presque tout le monde une cérémonie un peu abstraite. Les dernières séquences de *I Want to Live* me paraissent de ce point de vue parfaitement évidentes et utiles. À ce sujet, je vous envoie par le même courrier mon essai sur la peine de mort. Si vous ne lisez pas commodément le français, je vous signale que cet essai a été traduit dans l'*Evergreen Review*, publié par Grove Press, 795 Broadway, New York 3.

Quant au cas de Barbara Graham, bien que j'aie vu deux fois le film, il ne m'a pas semblé qu'on y infirmait son innocence[1]. J'ai eu l'impression, au contraire, que ce point était laissé volontairement dans l'imprécision. Mais je dois dire que la culpabilité de l'accusée, et c'est là probablement que nous nous séparerons vous et moi, ne m'aurait pas fait changer d'avis. Se déclarer contre la peine de mort n'a aucun sens quand il s'agit d'un accusé innocent. Dans ce cas là, tout le monde est contre, évidemment. Un adversaire de cette peine doit justifier son point de vue précisément dans le cas où l'accusé est coupable. C'est cet essai de justification que vous trouverez dans l'ouvrage que je me permets de vous envoyer.

Je voudrais vous redire en tout cas que j'ai lu avec beaucoup d'estime et de sympathie votre lettre et je vous remercie particulièrement de n'avoir pas mis en doute ma bonne foi en tout ceci. Croyez, cher Monsieur Beck, à mes sentiments les meilleurs.

ALBERT CAMUS

P-S — Ai-je besoin d'ajouter que mes déclarations ne constituaient nullement un jugement sur la justice américaine mais simplement le procès d'un fait de civilisation qui est commun à beaucoup de pays, dont le vôtre et le mien.

C'est, sept mois jour pour jour avant sa mort, la dernière intervention connue d'Albert Camus concernant la peine de mort. Trois mois plus tôt, en mars 1959, il avait intercédé en faveur du député commu-

---

1. *Sic*. Camus a sans doute voulu dire «affirmait», comme peut le laisser supposer une correction, incomplète, de la dactylographie.

niste grec Manolis Glezos, condamné à mort pour atteinte à la sûreté de l'État et finalement gracié.

Camus a écrit peu de préfaces. Mais en 1952, il en fit une pour la *Ballade de la Geôle de Reading* d'Oscar Wilde, l'histoire d'un soldat meurtrier qui va être pendu[1]. «[...] Au sortir de sa prison, Wilde, épuisé, ne trouva d'autre force que d'écrire cette admirable *Ballade* et de faire retentir à nouveau les cris qui jaillirent un matin de toutes les cellules de Reading pour relayer le cri du prisonnier que des hommes en frac pendaient», écrit Camus. Wilde achevait ainsi «l'itinéraire vertigineux qui l'avait mené de l'art des salons, où chacun dans les autres n'écoute que lui-même, à celui des prisons, où toutes les cellules crient du même cri d'agonie qui vient à l'homme assassiné par ses semblables». Contrairement à Wilde, Camus a compris très jeune qu'il fallait «identifier l'art et la douleur». C'est sans doute une des raisons pour lesquelles, au-delà de ses essais, de ses articles et de ses interventions politiques, le thème de la peine de mort est omniprésent dans toute son œuvre[2].

MARC J. BLOCH

1. Chez Falaize, Paris, 1952. Intitulée *L'artiste en prison*, la préface de Camus a été reprise dans les *Essais, op. cit*, p. 1123.
2. Tous les documents que nous publions ou auxquels nous faisons référence appartiennent au fonds Camus et sont déposés à la bibliothèque Méjanes d'Aix-en-Provence. Ils sont consultables, sous certaines conditions, au Centre de documentation Albert Camus, Cité du Livre, 8-10 rue des Allumettes, 13098 Aix-en-Provence, Cedex 2.

LA PEINE DE MORT
DANS LE MONDE

Plus de la moitié des États dans le monde (109 pays) ont, aujourd'hui, aboli la peine de mort, légalement ou dans les faits. Soixante-quinze pays l'ont légalement abolie dans tous les cas. Quatorze pays l'ont abolie pour les crimes de droit commun, mais en réservant la possibilité d'y recourir par exemple en cas de guerre. Vingt pays qui n'ont pas passé de législation dans ce sens peuvent néanmoins être considérés comme abolitionnistes, dans la mesure où ils n'ont procédé à aucune exécution depuis au moins dix ans.

En revanche, quatre-vingt-six États ont maintenu la peine de mort — ce qui ne veut pas dire que des exécutions y aient lieu chaque année.

Au cours de la dernière décennie du xxe siècle, trois pays par an, en moyenne, ont aboli la peine de mort. Depuis 1985, plus de quarante pays l'ont abolie ou sont passés d'une abolition partielle à une abolition totale.

Seuls quatre pays qui avaient aboli la peine de mort l'ont réintroduite dans leur législation : le Népal, les Philippines, la Gambie et la Papouasie-Nouvelle-Guinée. Aux Philippines, les exécutions ont effectivement repris, mais la Gambie et la Papouasie-

Nouvelle-Guinée n'ont procédé à aucune exécution. Quant au Népal, il est revenu sur sa décision et est redevenu abolitionniste en 1997.

En 2000, 1 457 prisonniers au moins ont été exécutés légalement dans vingt-sept pays, et 3 058 ont été condamnés à mort dans soixante-cinq pays. Telles sont les données qui ont été portées à la connaissance d'Amnesty International, mais les chiffres réels sont sans doute supérieurs. Ils ne concernent en tout état de cause que les exécutions légales, ayant lieu après qu'une condamnation a été prononcée par un tribunal. Les exécutions sans jugement ne sont pas comptabilisées ici. On sait, par exemple, que des centaines ont eu lieu en Irak.

En 2000, 88 % des exécutions connues ont eu lieu en Chine (plus de 1 000), en Iran (75), en Arabie Saoudite (123) et aux États-Unis (85 — dont 40 dans le seul État du Texas). Pour les trois premiers pays, les données sont imprécises et les chiffres sont sans doute en deçà de la réalité.

Différents traités internationaux interdisent d'exécuter les condamnés qui étaient mineurs au moment des faits. Seuls sept pays depuis 1990 ont procédé à ce type d'exécutions : la République démocratique du Congo, l'Iran, le Nigeria, le Pakistan, l'Arabie Saoudite, le Yémen et... les États-Unis. C'est d'ailleurs dans ce dernier pays qu'a été exécuté le plus grand nombre de délinquants juvéniles : 14 depuis 1990. Le Congo et le Pakistan ont depuis aboli la peine de mort dans ce cas.

Tableau 1. États totalement abolitionnistes

États	Date d'abolition	Date d'abolition pour les crimes de droit commun	Date de la dernière exécution
Afrique du Sud	1997	1995	1991
Allemagne	1949/1987 (RDA)		1949
Andorre	1990		1943
Angola	1992		
Australie	1985	1984	1967
Autriche	1968	1950	1950
Azerbaïdjan	1998		1993
Belgique	1996	1950	1950
Bulgarie	1998		1989
Cambodge	1989		
Canada	1998	1976	1962
Cap-Vert	1981		1835
Colombie	1910		1909
Croatie	1990		
Costa Rica	1877		
Côte d'Ivoire	2000		
Danemark	1978	1933	1950
Djibouti	1995		
Équateur	1906		
Espagne	1995	1978	1975
Estonie	1998		1991

États	Date d'abolition	Date d'abolition pour les crimes de droit commun	Date de la dernière exécution
Finlande	1972	1949	1944
France	1981		1977
Géorgie	1997		1994
Grèce	1993		1972
Guinée-Bissau	1993		1986**
Haïti	1987		1972**
Honduras	1956		1940
Hongrie	1990		1988
Îles Marshall			*
Îles Salomon		1966	*
Irlande	1990		1954
Islande	1928		1830
Italie	1994	1947	1947
Kiribati			*
Liechtenstein	1987		1785
Lituanie	1998		1995
Luxembourg	1979		1949
Macédoine [ex-République yougoslave de]	1991		
Malte	2000	1971	1943
Maurice	1995		1987
Micronésie [États fédérés]			*

États	Date d'abolition	Date d'abolition pour les crimes de droit commun	Date de la dernière exécution
Moldavie	1995		
Monaco	1962		1847
Mozambique	1990		1986
Namibie	1990		1988**
Népal	1997	1990	1979
Nicaragua	1979		1930
Norvège	1979	1905	1948
Nouvelle-Zélande	1989	1961	1957
Palau			
Panama			1903**
Paraguay	1992		1928
Pays-Bas	1982	1870	1952
Pologne	1997		1988
Portugal	1976	1867	1849**
République dominicaine	1966		
République tchèque	1990		
Roumanie	1989		1989
Royaume-Uni	1998	1973	1964
Saint-Marin	1865	1848	1468*
São Tomé et Principe	1990		*
Seychelles	1993		

États	Date d'abolition	Date d'abolition pour les crimes de droit commun	Date de la dernière exécution
Slovaquie	1990		
Slovénie	1989		
Suède	1972	1921	1910
Suisse	1992	1942	1944
Timor oriental	1999		
Turkménistan	1999		
Tuvalu			*
Ukraine	2000		1997
Uruguay	1907		
Vanuatu			*
Vatican	1969		
Venezuela	1863		

* Aucune exécution depuis l'indépendance.
** Date de la dernière exécution connue.

Tableau 2. États ayant aboli la peine de mort
pour les crimes de droit commun

États	Date d'abolition pour les crimes de droit commun	Date de la dernière exécution
Albanie	2000	
Argentine	1984	
Bolivie	1997	1974
Bosnie-Herzégovine	1997	
Brésil	1979	1855
Chili	2001	
Chypre	1983	1962
El Salvador	1983	1973*
Fidji	1979	1964
Îles Cook		
Israël	1954	1962
Lettonie	1999	1996
Mexique		1937
Pérou	1979	1979

* Date de la dernière exécution connue.

Les chiffres et les tableaux présentés dans ce chapitre sont ceux d'Amnesty International, que nous
sommes heureux de pouvoir citer ici.

On peut les trouver — et bien d'autres données et commentaires — sur un site internet d'Amnesty International en français, consacré à la peine de mort : *perso.wanadoo.fr/ai288/pdm*, ainsi que sur un site plus général : *www.web.amnesty.org*.

MARC J. BLOCH

Composition Interligne
et impression Bussière Camedan Imprimeries
à Saint-Amand (Cher), le 3 janvier 2002.
Dépôt légal : janvier 2002.
Numéro d'imprimeur : 020129/1.
ISBN 2-07-041846-4./Imprimé en France.